만나서 반갑습니다!
좋은 일이 생길 거예요!

가슴이 설레는 만남이 아니어도 좋습니다.
가슴이 떨리는 운명적인
만남이 아니어도 좋습니다.
만남 자체가 소중하니까요!

최보규 천재일우 멘토

3

80억 분의 1 검증된 천재일우 멘토

천재일우 Mentor

천재일우(千載一遇):
천 년에 한 번 만난다는 뜻으로
좀처럼 만나기 어려운 기회

최보규 천재일우 멘토
천재일우 멘토 코칭전문가

"당신은 제가 좋은 사람이 되고 싶도록 만들어요!" 라는
마음을 들게 하여 실천하게 만드는
천재일우 멘토가 되어 주겠습니다.
잘난 멘토가 아닌 진실한 멘토가 되어 주겠습니다.
대단한 멘토가 아닌 좋은 멘토가 되어 주겠습니다.
멋진 멘토가 아닌 따뜻한 멘토가 되어 주겠습니다.
유명한 멘토가 아닌 필요한 멘토가 되어 주겠습니다.

천재일우 멘토 코칭전문가

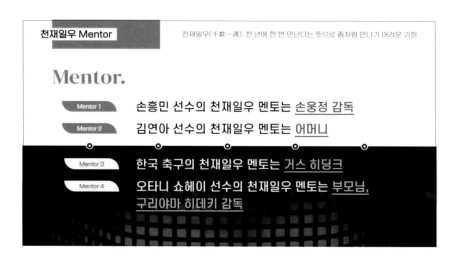

천재일우 Mentor

Mentor.

Mentor 5 일론머스크의 천재일우 멘토는 책(비대면 멘토)

Mentor 6 빌게이츠의 천재일우 멘토는 책(비대면 멘토), Ed 로버츠

Mentor 7 오프라윈프리의 천재일우 멘토는 책(비대면 멘토), 메리던킨

Mentor 8 스티브잡스의 천재일우 멘토는 책(비대면 멘토),
로버트 프리드랜드

천재일우 Mentor

Mentor.

Mentor 9 워렌버핏의 천재일우 멘토는 책(비대면 멘토), 벤저민그레이엄

Mentor 10 마이클조던의 천재일우 멘토는 책(비대면 멘토), 필잭슨

Mentor 11 마크저커버그의 천재일우 멘토는 책(비대면 멘토), 스티브잡스

Mentor 12 최보규 방탄book기술력 창시자의 멘토는
1. 존경하는 아내, 2. 책(비대면 멘토), 3. 습관 381가지

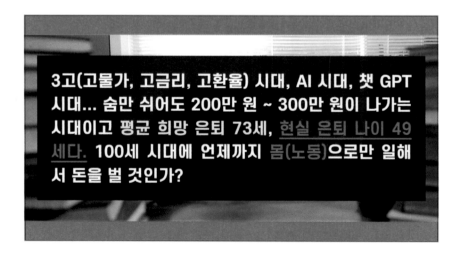

세상, 현실 기준에서 <u>스펙, 돈, 인맥, 자산 등이 없어서 100 세까지 노동</u>을 해야 되고 몸까지 아프면 더 답이 없는 상황! 젊을 때는 100가지 중 99가지를 할 수 있지만 <u>나이 들면 100가지 중 99가지를 할 수 없다.</u> 3고 시대, AI 시대, 챗 GPT 시대에 자신의 직업이 사라 질 수 있는 상황에서 어떻게 준비, 대비할 것인가?

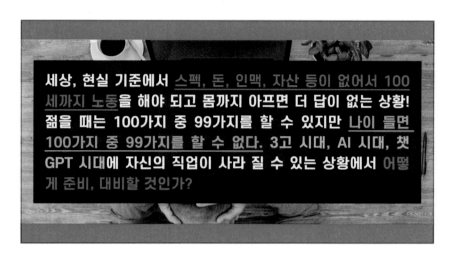

지금 상황을 극복하기 위한 천재일우 멘토가 필요하다.

지금 당신에게 필요한
4가지 천재일우 멘토를 소개한다.

keyword.

0.MENTOR	1.MENTOR	2.MENTOR	3.MENTOR

지금 당신에 걱정, 고민을 해결해 줄 4가지 멘토!
지금 당신에 걱정, 고민을 해결해 줄 4가지 멘토는 선택이 아닌 필수!

---

0. Mentor

당신에게는 부크크출판사가 천재일우다!

스펙, 돈, 외모, 인맥, 실력... 아무것도 없는
사람에게 부크크출판사는 천재일우 멘토다!
평균 자비출판 한 권 출간 비용 300만 원 발
생하지만 <u>부크크출판사를 통하면 0원이다.</u>

1. Mentor

당신에게는 유페이퍼출판사가 천재일우다!

스펙, 돈, 외모, 인맥... 아무것도 없는 사람에게 유페이퍼출판사는 천재일우 멘토다!
자신 경력, 자신 분야 전문성을 활용하여 <u>전자책을 0원으로 출간</u>하여 <u>24시간 수입 창출 무인 시스템</u>을 만들 수 있다.

2. Mentor

당신에게는 망고보드가 천재일우다!

스펙, 돈, 외모, 인맥, 실력... 아무것도 없는 사람에게 망고보드는 천재일우 멘토다!
<u>마우(마우스만 움직일 줄 아는 사람)</u>실력이어도 <u>망고보드 프로그램을 통해 전문가 수준급</u>으로 돈을 벌게 하는 디자인 제작을 할 수 있다. 디지털 콘텐츠 시대에 <u>디자인 스펙은 선택이 아닌 필수다.</u>

3. Mentor

당신에게는 방탄book기술력은 천재일우다!

스펙, 돈, 외모, 인맥, 실력... 아무것도 없는 사람에게 방탄book
기술력은 천재일우 멘토다!

노벨상 받은 사람, 하버드 대학교 교수, 은퇴 전문가, 노후 전문가
들 1,000명이면 1,000명이 말하는 것이 <u>최고의 은퇴 준비, 노
후 준비는 100세까지 현역을 하는 것</u>이라고 한다.

<u>방탄book기술력(수입 창출 6가지 시스템)</u>은 100세까지 지속적
인 수입을 발생시키고 100세까지 현역을 유지시켜 준다.

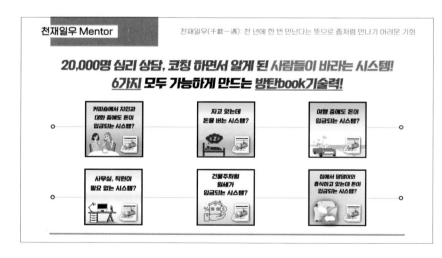

최보규 대표

상담, 코칭, 강의, 컨설팅 문의
010-6578-8295

현] 방탄자기계발사관학교 대표
현] 강사야 대표강사
현] 자기계발아마존 CEO
현] 방탄book 출판사 대표
현] 방탄강사사관학교 코칭전문가
현] 사랑의전화 카운슬러
현] 방탄자기계발 유튜버
현] 최보규상(대한민국 노벨상)창시자

N 최보규

네이버 인물정보 등록 34만 명! (2016년 기준)
대한민국 1% 미만 "네이버 명예의 전당" 인물정보 등록!

전체   프로필   최근활동   도서

프로필   →

소속   방탄자기계발사관학교/방탄북
(BOOK)출판사(대표)

수상   2016년 제1회 세계를 빛낸 천
사상 대상

경력   방탄자기계발사관학교/방탄북
(BOOK)출판사 대표
방탄자기계발사관학교 대표
2012.05~2016.06 사랑의전화 전화상담 자원
봉사자
2014.11 행복사관학교 대표

사이트   유튜브, 블로그, 네이버TV, 페이스북, 공식홈페
이지

작품 ★ 도서 108건, 관련활동

자기계발서 150권, 전자책 250권 출간으로
삼성(진정성, 전문성, 신뢰성)이 검증된 전문가

Google 자기계발아마존   YouTube 방탄자기계발   NAVER 방탄자기계발사관학교   NAVER   최보규

종이책 150권, 전자책 250권
총 400권 무인 콘텐츠

24시간 무인 시스템

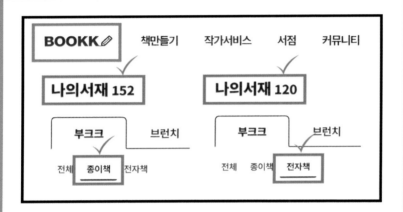

이번 생에 건물주는 힘들어도
온라인 건물주는 가능하다!
400층 온라인 건물주를 가능하게 만든 시스템!

방탄book기술력

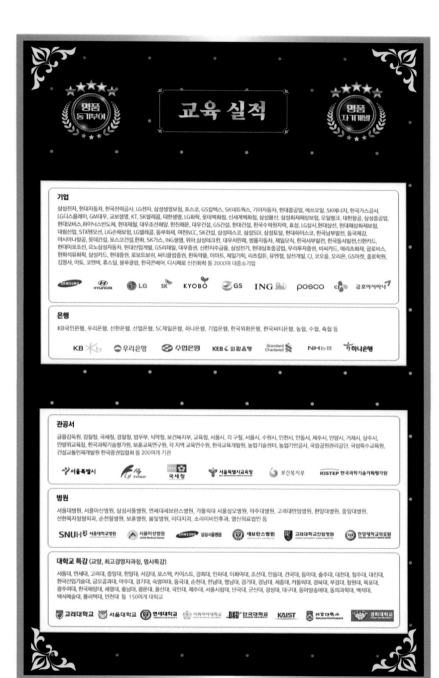

교육 실적

기업

삼성전자, 현대자동차, 한국전력공사, LG전자, 삼성생명보험, 포스코, GS칼텍스, SK네트웍스, 기아자동차, 현대중공업, 에쓰오일, SK에너지, 한국가스공사, LG디스플레이, GM대우, 교보생명, KT, SK텔레콤, 대한생명, LG화학, 롯데백화점, 신세계백화점, 삼성물산, 삼성화재해상보험, 오일뱅크, 대한항공, 삼성중공업, 현대모비스, 하이닉스반도체, 현대제철, 대우조선해양, 한진해운, 대우건설, GS건설, 현대건설, 한국수력원자력, 효성, LG상사, 현대상선, 현대해상화재보험, 대림산업, STX팬오션, LIG손해보험, LG텔레콤, 동부화재, 여천NCC, SK건설, 삼성테크윈, 삼성SDI, 삼성토탈, 현대하이스코, 한국남부발전, 동국제강, 아시아나항공, 롯데건설, 포스코건설, 한화, SK가스, ING생명, 위아, 삼성테크윈, 대우자판매, 쌍용자동차, 제일모직, 한국서부발전, 한국동서발전,신한카드, 현대미포조선, 르노삼성자동차, 현대산업개발, GS리테일, 대우증권, 신한지주금융, 삼성전기, 현대제철증권업, 우리자증권, 비씨카드, 메리츠화재, 글로비스, 한화석유화학, 삼성카드, 현대증권, 로보트보쉬, 씨티클럽증권, 한독약품, 이마트, 제일기획, 리츠칼튼, 유엔젤, 삼선개발, CJ, 코오롱, 오리온, GS마켓, 종로학원, 김영사, 아토, 코엔텍, 휴스틸, 블루클럽, 한국콘베어, 다시페로 신신화학 등 2000여 대중소기업

SAMSUNG · HYUNDAI · LG · SK · KYOBO · GS · ING · posco · CJ · 금호아시아나

은행

KB국민은행, 우리은행, 신한은행, 산업은행, SC제일은행, 하나은행, 기업은행, 한국외환은행, 한국씨티은행, 능협, 수협, 축협 등

KB · 우리은행 · 수업은행 · KEB 외환은행 · Standard Chartered · NH농협 · 하나은행

관공서

금융감독원, 검찰청, 국세청, 경찰청, 법무부, 식약청, 보건복지부, 교육청, 서울시, 각 구청, 서울시, 수원시, 인천시, 안동시, 제주시, 안양시, 거제시, 상주시, 만방위교육청, 한국과학기술평가원, 보훈교육연구원, 각 지역 교육연수원, 한국교육개발원, 농업기술센터, 농업기반공사, 국립공원관리공단, 국립특수교육원, 건설교통인재개발원 한국증권업협회 등 200여기 기관

서울특별시 · Fly Incheon · 국세청 · 서울특별시교육청 · 보건복지부 · KISTEP 한국과학기술기획평가원

병원

서울대병원, 서울아산병원, 삼성서울병원, 연세대세브란스병원, 가톨릭대 서울성모병원, 아주대병원, 고려대안암병원, 한양대병원, 중앙대병원, 선한목자정형외과, 순천향병원, 보훈병원, 봄빛병원, 이다치과, 소리이비인후과, 영산의료법인 등

SNUH 서울대학교병원 · 서울아산병원 · SAMSUNG 삼성서울병원 · 세브란스병원 · 고려대학교안암병원 · 한양대학교의료원

대학교 특강 (교양, 최고경영자과정, 명사특강)

서울대, 연세대, 고려대, 중앙대, 한양대, 서강대, 포스텍, 카이스트, 경희대, 인하대, 이화여대, 조선대, 안동대, 건국대, 동아대, 충주대, 대전대, 청주대, 대전진대, 한국산업기술대, 금오공과대, 아주대, 경기대, 숙명여대, 순천대, 전남대, 영남대, 경기대, 강남대, 세종대, 카톨릭대, 경북대, 부경대, 창원대, 목포대, 광주여대, 한국해양대, 세명대, 순남대, 광운대, 울산대, 국민대, 제주대, 서울시립대, 단국대, 군산대, 경성대, 대구대, 동아방송예대, 동의과학대, 백석대, 백석예술대, 폴리텍대, 인천대 등 150여개 대학교

고려대학교 · 서울대학교 · 연세대학교 · 이화여자대학교 · 단국대학교 · KAIST · 서강대학교 · 경희대학교

강의 사진

600명 자자자자멘습긍 강의
(자존감, 자신감, 자기관리, 자기계발, 멘탈, 습관, 긍정)

500명 자자자자멘습긍 강의
(자존감, 자신감, 자기관리, 자기계발, 멘탈, 습관, 긍정)

최보규 방탄강사 창시자

저는 입으로 강의하지 않겠습니다.
제 삶으로 강의하겠습니다.
저는 가르치지 않겠습니다.
제 삶으로 가르치겠습니다.
최보규강사는 명강사, 스타강사가 아닙니다!
그래서 한 달에 15권 책을 보고 메모하며
강의 준비, 솔선수범 하고 있습니다!
최보규강사 보다 강의 잘하는 사람은 많습니다!
다만 최보규강사 만큼 학습자를
사랑하는 강사는 세상에 없을 것입니다!

최보규 방탄동기부여 신조

들어라 하지 말고 듣게 하자.
누구처럼 살지 말고 나답게 살자.
좋아하게 하지 말고 좋아지게 하자.
마음을 얻으려 하지 말고 마음을 열게 하자.
믿으라 말하지 말고 믿을 수 있는 사람이 되자.
좋은 사람을 기다리지 말고 좋은 사람이 되어주자.
보여주는(인기) 인생을 사는 것이 아닌
보여지는(인정) 인생을 살아가자.
나 이런 사람이야 말하지 않아도
이런 사람이구나 몸, 머리, 마음으로 느끼게 하자.

경력은 실력이 아닙니다! 최보규 강사는 경력만으로 강의하지 않습니다!
책을 읽고 메모하며 책을 출간 했다고 강의 내공이 좋은 건 아닙니다!
하지만 책 2,032권, 메모 7,626개, 습관 320가지, 책 100권 출간 내공으로
강의하는 강사에 강의 내공은 단언컨대 "세계 최고"일 것입니다!

15년 2,032권 읽음

15년 7,626개 메모

자기계발서 100권 출간

45년 방탄 습관 320가지

최보규 강사 11계명

1. 학습자에게 섬김을 받으려는 강의가 아닌 학습자를 섬길 수 있는 강의를 하겠습니다.
2. 오늘이 마지막 날인 것처럼 강의하고 영원히 살 것처럼 학습자에게 배우겠습니다.
3. 강의 있는 전날에는 최상의 컨디션을 유지 하기 위해 건강관리, 목 관리, 자기관리 하겠습니다.
4. 강의장 1시간 전에 도착해서 강의 마음가짐 준비하겠습니다.
5. 강의장 가장 먼저 도착 강의 끝난 후 가장 늦게 나오겠습니다.
6. 내 삶이 강의고 강의가 내 삶이 되도록 행동하겠습니다.
7. 힘들게 배운 강의 노하우들 아낌없이 주겠습니다.
8. 어떻게 하면 학습자에게 즐거움? 행복? 메시지? 감동? 희망? 사랑?을 줄 것인가에 항상 생각
   하며 공부하겠습니다.
9. TV보다 책을 더 보겠습니다. 10. 공인이라는 마음으로 솔선수범하겠습니다.
11. 강사의 자존심 아침에 나올 때 신발장에 넣고 나오겠습니다.

방탄강사 백신

★ 잘난 강사가 되지 않고 진실한 강사가 되겠습니다!
잘난 강사는 피하고 싶어지지만 진실한 강사는
곁에 두고 싶어집니다!

★ 대단한 강사가 되지 않고 좋은 강사가 되겠습니다!
대단한 강사는 부담을 주지만 좋은 강사는
행복을 줍니다

★ 멋진 강사가 되지 않고 따뜻한 강사가 되겠습니다!
멋진 강사는 눈을 즐겁게 하지만 따뜻한 강사는
마음을 데워 줍니다.

★ 유명한 강사가 되지 않고 필요한 강사가 되겠습니다!
유명한 강사는 환상을 주지만 필요한 강사는
배움, 성장, 지혜를 줍니다.

목차

당신에게 유페이퍼출판사는
천재일우

1
☆☆☆
당신에게
유페이퍼는
(무료 전자책 출간)
천재일우다!
★

천재일우(千載一遇)
천 년에 한 번 만난다는 뜻으로
좀처럼 만나기 어려운 기회

BOOKK

1.
당신에게 유페이퍼출판사가
왜! 천재일우인가?

1. 당신에게 유페이퍼출판사가 왜! 천재일우인가?

먼저 유페이퍼출판사에 대해서 알아야 한다. 유페이퍼출판사는 대한민국의 전자책 오픈마켓 서비스를 제공하는 회사다.

개인이 전자책을 만들어서 서점에 유통할 수 있는 방법이 여러 가지가 있지만 개인적으로 유통 한다는 게 쉽지 않다. 개인적으로 하기 힘든 사람들을 위해서 유페이퍼가 일반 서점과 연결시켜주는 중간 역할을 한다.
전자책이 팔리면 소정에 수수료가 발생하고 정산을 해서 작가에게 가는 시스템이다. 제휴사 : 유페이퍼 : 판매자는 3:1:6의 구조라고 보면 된다.
(제휴사: 예스24, 알라딘, 교보문고, 리딩락, 북큐브, 밀리의서재, 부커스, 윌라)

당신에게 유페이퍼출판사가 왜! 천재일우일까? 자신이 무엇인가 시작하려 할 때 세상, 현실 기준이 태클을 건다. 세상, 현실 기준인 스펙, 돈, 인맥, 실력이 없으면 시작할 수 없는 환경이 되어있다. 이런 환경에서 스펙, 돈, 인맥, 실력이 없어도 돈을 벌수 있는 기회가 주어진다면? 하겠는가? 가장 큰 걸림돌인 스펙, 돈, 인맥, 실력이 없어도 할 수 있다면 무엇을 망설이겠는가? 무조건 해야 된다. 당연한 것이다. 안 하면 바보다. 몰랐으면 모를까 안다면 무조건 해야 된다.

물건 파는 장사로 예를 들겠다. 전자책도 한 권 출간하면 물건처럼 팔리기 때문이다. 물건을 파는 장사꾼이라면 월세, 물건 관리비, 배송비, 보관비, 인건비, 홍보비... 등 여러 가지 비용이 발생하고 신경 써야 될 것이 한두 가지가 아니다. 하지만 전자책 한 권을 만들어서 유페이퍼에 전자책을 등록했다면 장사를 할 때 나가는 월세, 물건 관리비, 배송비, 보관비, 인건비, 홍보비... 등을 유페이퍼에서 다 해준다는 것이다.

자신은 전자책만 써서 유페이퍼에 등록만 하면 된다는 것이다. "당신에게 유페이퍼출판사가 왜! 천재일우일까?"라는 말이 이제는 이해가 가는가? 당연히 글을 쓴다는 게 쉽지는 않을 수 있다. 일단 글을 쓴다는 게 쉽지 않다는 것을 제외하면 1차원적으로 봤을 때 전자책을 유페이퍼에서 출간한다는 것은 단점이 10% 라면 장점이 90%라는 것이다. 가장 큰 장점은 전자책 한번 출간을 하면 지속적인 수입이 발생한다는 것이다. 전자책 한 권 만들어 재능마켓(크몽, 탈잉, 클래스101...등)에 등록하면 여러 가지 수입을 창출할 수도 있다는 것이다. 요즘 대세고 앞으로도 대세인 무인시스템을 구축 할 수 있다는 것이다.

20,000명 심리 상담, 코칭으로 알게 된 사람들이 바라는 6가지 무인 시스템!
1. 커피숍에서 지인과 대화 중에도 돈이 입금되는 무인 시스템?
2. 자고 있는데 돈을 버는 무인 시스템?
3. 여행 중에도 돈이 입금되는 무인 시스템?
4. 사무실, 직원이 필요 없는 무인 시스템?
5. 건물주처럼 월세가 입금되는 무인 시스템?
6. 집에서 댕댕이와 휴식하고 있는데 돈이 입금되는 무인 시스템?

전자책 출간으로 6가지 무인 시스템이 가능하다면 무조건 해야 되는 거 아닌가? 안 하면 바보인 것이다.

필자가 지금까지 종이책 150권, 전자책 250권 총 400권을 출간했다. 출간한 책 권수만 보면 학창 시절부터 책 쓰는 작가, 정규코스를 거쳐서 책을 쓰는 것처럼 보이지만 전혀 그렇지 않다.
필자의 본업은 동기부여 강사, 자기계발 코칭 전문가, 방탄book기술력 코칭 전문가이다. 건축을 전공했고 강사일을 하기 전에 책 쓰는 일과 전혀 상관없는 일을 했던 사람이었다. 학창 시절부터 필자의 글씨는 악필이었다. 그래서 글씨 쓰는 것을 싫어하는 정도가 아니라 콤플렉스라 생각하는 사람이었다. 글 쓰는 일, 책 출간 직업과 전혀 상관없는 일을 하다가 어떻게 6년 동안 종이책 150권, 전자책 250권 총 400권을 출간을 했을까? 책 쓰기, 책 출간 방법이 아니라 책 쓰기, 책 출간 기술력을 알고 있기 때문에 가능했다는 것이다. **책 쓰기, 책 출간 방법을 배우면 한 권 출간하지만 방탄book기술력을 배우면 10권, 100권, 200권... 을 출간할 수 있다는 것이다.**

누군가는 전자책 출간 방법을 배워서 전자책 1권만 출간한다.

누군가는 전자책, 종이책 출간 방법을 배워서 전자책, 종이책을 동시에 출간한다.

누군가는 전자책, 종이책 출간 기술력을 배워서 전자책, 종이책을 동시에 출간하고 끝나는 것이 아니라 방탄book기술력(수입 창출 6가지 시스템)과 연결하여 6가지 수입을 발생 시킨다.

당신이라면 어떤 선택을 할 것인가? 그래서 당신에게 유페이퍼출판사가 천재일우라고 하는 것이다. 당신에게 천재일우인 유페이퍼 등록 매뉴얼 무인 시스템 설명을 시작한다.

당신에게 유페이퍼출판사는
천재일우

스펙, 돈, 외모, 인맥... 아무것도 없는 사람에게 유페이퍼출판사는 천재일우 멘토다! 자신 경력, 자신 분야 전문성을 활용하여 전자책을 0원으로 출간하여 24시간 수입 창출 무인 시스템을 만들 수 있다.

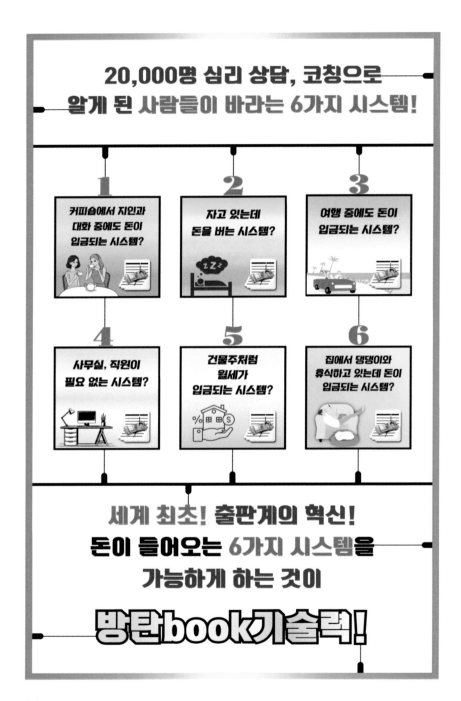

평균 희망 은퇴 73세, 현실 은퇴 나이 49세!
100세 시대 언제까지 몸(노동)으로만
일해서 돈을 벌 것인가?

세상, 현실 기준에서 스펙, 돈, 인맥, 자산 등이 없어서 100세까지 노동을 해야 되고 몸까지 아프면 더 답이 없는 상황! 젊을 때는 100가지 중 99가지를 할 수 있지만 나이 들면 100가지 중 99가지를 할 수 없다. 3고 시대, AI 시대, 챗GPT 시대에 자신의 직업이 사라 질 수 있는 상황에서 어떻게 준비, 대비할 것인가?

 방탄BOOK기술력 선택이 아닌 필수!

세계 최초
방탄
BOOK
기술력

20,000명 심리 상담, 코칭으로 알게 된
20,000명이 바라는 책 쓰기, 책 출간 교육, 코칭

 10가지

1 한번 출간한 책으로 <u>평생 활용하는 방법을</u> 알려주는 교육, 코칭

2 <u>로또 2등과 같은 기획출판을</u> 하기 위해서 출판기획서 제작 스트레스, 거절 메일을 확인 하는 스트레스, 370가지 스트레스... 등 <u>마음고생 덜 하고 책 출간할 수 있는</u> 책 쓰기 교육, 코칭

3 책 활용 수입 창출 시스템 교육을 검증 된 전문가에게 한 곳에서 <u>시간, 돈 낭비를 줄여주는</u> 책 쓰기 교육, 코칭

4 한번 코칭으로 <u>100년 a/s, 피드백, 관리해</u> 주는 책 쓰기 교육, 코칭

5 책 출간 후 <u>자신 분야 삼성(진정성, 전문성, 신뢰성)</u> <u>을 높여 자신 분야 내공, 가치, 몸값까지</u> 올릴 수 있는 책 쓰기 교육, 코칭

출간한 책으로 <u>강사가 되어 은퇴 후 제2의 직업</u>을 할 수 있는 책 쓰기 교육, 코칭

 책 출간 후 자신 분야 코칭 전문가가 되어 은퇴 후 <u>제3의 직업</u>까지도 할 수 있는 책 쓰기 교육, 코칭

 책 출간 후 온라인 콘텐츠까지 제작을 해서 <u>비수기 없는</u> 책 쓰기 교육, 코칭

 책 출간 후 디지털 콘텐츠까지 제작을 해서 <u>월세, 연금성 수입까지 발생</u>시킬 수 있는 책 쓰기 교육, 코칭

 책 한 권 출간하고 끝나는 것이 아니라 <u>100년 동안 책을 무한대로 출간</u> 할 수 있는 책 쓰기, 책 출간 기술력을 교육, 코칭

책 쓰기, 책 출간 교육, 코칭은 누구나 한다.
<u>6가지 수입 창출 책 쓰기, 책 출간</u>
<u>교육, 코칭은 방탄BOOK 창시자 뿐이다.</u>

**20,000명 심리 상담, 코칭으로 알게 된
20,000명이 바라는 책 쓰기, 책 출간 교육, 코칭**

 10가지

www.방탄book.com

NAVER 방탄book출판사

세계에서 20,000명이 바라는
책 쓰기, 책 출간 교육, 코칭 10가지를
할 수 있는 곳은

방탄book출판사 뿐이다!

최보규 강사책출간 코칭전문가

최보규 천재일우 멘토
천재일우 멘토 코칭전문가

"당신은 제가 좋은 사람이 되고 싶도록 만들어요!" 라는
마음을 들게 하여 실천하게 만드는
천재일우 멘토가 되어 주겠습니다.
잘난 멘토가 아닌 진실한 멘토가 되어 주겠습니다.
대단한 멘토가 아닌 좋은 멘토가 되어 주겠습니다.
멋진 멘토가 아닌 따뜻한 멘토가 되어 주겠습니다.
유명한 멘토가 아닌 필요한 멘토가 되어 주겠습니다.

천재일우 멘토 코칭전문가 최보규

당신에게 유페이퍼출판사는
천재일우

2.

유페이퍼출판사
(무료 전자책 출간)등록 매뉴얼

① 로그인. 회원가입 후 로그인

② 판매자 등록. 전자책을 판매하기 위해서 판매자 등록을 해야 한다. 개인 또는 사업자는 출판사를 보유하고 있거나, 사업자등록증을 보유한 경우에만 사업자를 선택하면 된다. 이름, 정산 받을 은행, 계좌번호(이름과 계좌번호 일치)입력하면 된다.

판매 배분율.

콘텐츠를 판매 후 기본 수익쉐어 배분율로 30%를 유페이퍼가 가지며, 70%를 정산해 준다.

판매자가 기간 구독제를 만들어 판매한 경우는 유페이퍼 20%, 판매자 80% 정산을 해준다.

유페이퍼에 판매 등록되는 콘텐츠는 국내외 전자책 제휴사에 자동 전송되어 판매가 이루어지는데 제휴사 판매분은 제휴사 배분율에 따라 차이가 있으나 기본적으로 이런 경우 유페이퍼에서는 10%를 수익으로 한다. 예를 들면 제휴사에서 30%를 수익으로 하고 유페이퍼에 70%를 넘겨주면 이중 유페이퍼 수익은 10%, 판매자 수익은 60%가 된다. 즉 제휴사 : 유페이퍼 : 판매자는 3:1:6의 구조가 된다.

계약 시작일, 계약기간

신청 당일 날짜로 판매자 전환하면 곧바로 콘텐츠를 판

매 등록 가능하다. 계약기간은 별도 요청이 없으면 만기
일에 해당 기간만큼 자동 연장된다.

주민등록번호, 주소 입력, 휴대폰 번호.

주민등록번호와 주소가 추후 정산료 지급 때 소득세
3%, 주민세 0.3% 국세청으로 신고 들어가기에 주민번
호와 주소가 불명확하면 정산 지급이 된다.

③ 콘텐츠 등록. 홈에서 톱니바퀴를 클릭하면 콘텐츠 등
록이 나온다.

④ 전자책 등록. 등록할 전자책 세부적인 내용을 등록
할 수 있는 페이지로 이동한다.

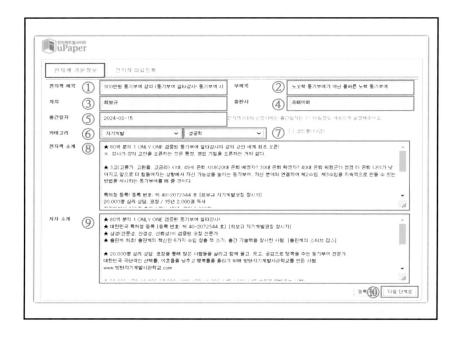

① 전자책 제목. 300만원 동기부여 강의 (동기부여 일타
강사! 동기부여 사용 설명서!)

② 부제목. 노오력 동기부여가 아닌 올바른 노력 동기부
여

③ 저자. 최보규

④ 출판사. 유페이퍼

⑤ 출간 일자. 2024. 01.17

(전자책 ISBN 신청시에는 출간 일자는 7~10일 정도로
여유 있게 설정을 한다.) 전자책 등록일로부터 1주일 뒤
로 설정하면 된다. 예)전자책 등록일 2024. 01. 10이면
2024. 01. 17

48

⑥ 1차 카테고리. **자기계발**

⑦ 2차 카테고리. **성공학**

⑧ 전자책 소개.

★ 80억 분의 1 ONLY ONE 검증된 동기부여 일타강사의 강의 교안 세계 최초 오픈!

※. 강사가 강의 교안을 오픈하는 것은 통장, 영업 기밀을 오픈하는 거와 같다.

★ 3고(고물가, 고환율, 고금리) 시대, 49세 은퇴 시대 (20대 은퇴 예정자? 30대 은퇴 확정자? 40대 은퇴 위험군?) 점점 더 은퇴 나이가 낮아지고 앞으로 더 힘들어지는 상황에서 자신 가능성을 높이는 동기부여, 자신 분야와 연결하여 제2수입, 제3수입을 지속적으로 만들 수 있는 방법을 제시하는 동기부여를 해 줄 것이다.

특허청 등록! 등록 번호: 제 40-2072344 호 [최보규 자기계발코칭 창시자]

20,000명 심리 상담, 코칭 / 15년 2,000권 독서

자기계발서 100권 출간 / 강사 15년, 강의 6,000회

7G 직업 (출판사 대표, 작가, 심리 상담사, 코칭 전문가, 강사, 유튜버, 한집의 가장)

45년간 습관 320가지 만듦...

많은 경력과 시행착오, 대가 지불, 인고의 시간을 통해 알게 된 동기부여를 세계 최초로 공개한다.

★ 어떤 강의에서도 말하지 못한 동기부여!

★ 어떤 강사도 말하지 못한 동기부여!

★ 어떤 책에도 없는 동기부여!

★ 어떤 영상에서도 볼 수 없는 내용의 동기부여!

⑨ 저자 소개.

★ 80억 분의 1 ONLY ONE 검증된 동기부여 일타강사!

★ 대한민국 특허청 등록 [등록 번호: 제 40-2072344호] [최보규 자기계발코칭 창시자]

★ 삼성(전문성, 진정성, 신뢰성)이 검증된 코칭 전문가.

★ 출판계 최초! 출판계의 혁신인 6가지 수입 창출 책쓰기, 출간 기술력을 창시한 사람. [출판계의 스티브 잡스]

★ 20,000명 심리 상담, 코칭을 통해 많은 사람들을 살리고 함께 울고, 웃고, 공감으로 행복을 주는 동기부여 전문가.

대한민국 극단적인 선택률, 이혼율을 낮추고 행복률을 올리기 위해 방탄자기계발사관학교를 만든 사람.

www.방탄자기계발사관학교.com

★ 20,000 / 7G / 2,000 / 7,000 / 100 / 50 / 6,000 / 45 / 320 / 15 숫자가 말해주는 사람!

20,000명 심리 상담, 코칭.

7G 직업(출판사 대표, 작가, 심리 상담사, 코칭 전문가, 강사, 유튜버, 한집의 가장)

2,000권 독서. 7,000개 메모. 자기계발서 100권 출간.

100권 출간한 책으로 온라인 콘텐츠, 디지털 콘텐츠 제작하여 50층 온라인 건물주.

강의 6,000회. 45년간 습관 320가지 만듦. 강사 15년차.

★ 최보규상(대한민국 노벨상)을 만든 사람.

최보규를 알고 있는 사람들에게 나다운 행복을 만들어주기 위해 올바른 노력을 하는 사람.

⑩ 다음 단계로. 전자책 원고 파일, 표지 파일 등록, 목차 등록 창으로 이동한다.

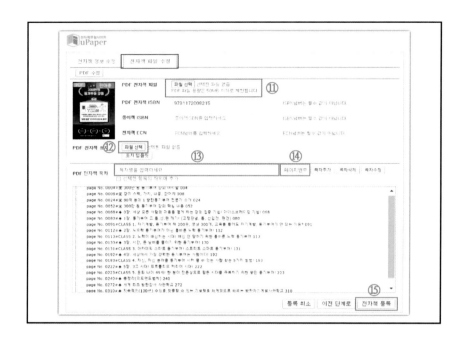

⑪ PDF 전자책 파일. **파일 선택을 클릭을 한 다음 전자
책(PDF)등록 할 파일을 업로드하면 된다.**

(PDF 파일 용량은 50MB 이하로 제한되다.)

PDF원고 용량이 50MB가 넘을 때는 알PDF 프로그램에서 압축(PDF 최적화)을 하면 된다. 네이버에서 무료인 알PDF 다운로드하면 된다.

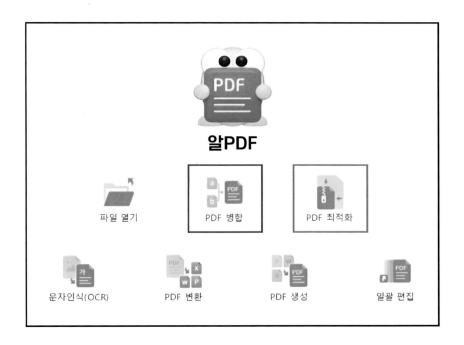

#. 원고 등록 할 때 중요사항.

PDF원고 첫 장은 유페이퍼 로고가 들어간 책 표지가 들어가야 되고 PDF원고 마지막 페이지에는 판권지에 책 가격이 들어가야 한다. 전자책 표지 제작을 PDF로 다운로드 한 다음 전자책 원고와 알PDF 프로그램에서 PDF병합을 한다.

전자책(PDF) 첫 페이지 유페이퍼 로고 들어간 표지

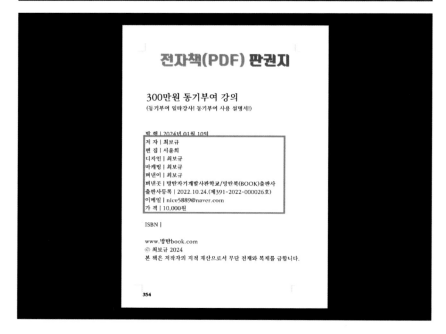

전자책(PDF) 판권지 알PDF에서 편집

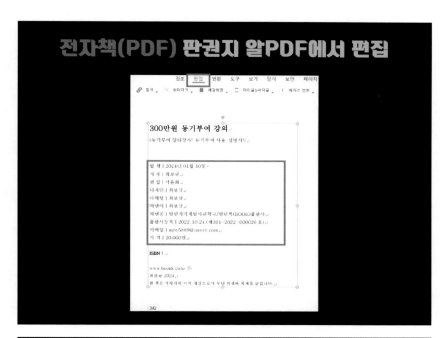

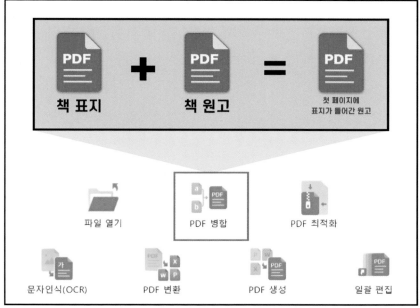

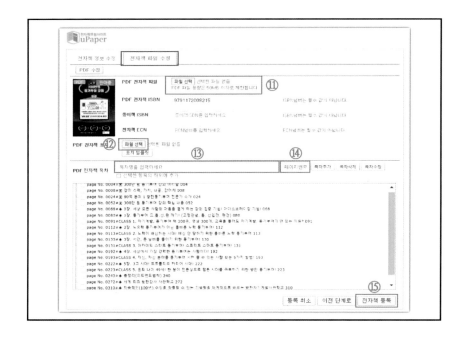

⑫ PDF 전자책 표지. 파일 선택을 클릭을 한 다음 만들어 놓은 전자책 표지 등록.

#. 이미지 파일(jpg, gif, png)만 선택이 가능.

⑬ 목차 명 입력. 목차 명을 하나씩 입력해야 한다. 원고 작성한 한글에서 목차 전체를 복사한 다음 붙여넣기 하면 좋겠지만 프로그램 특성상 한 번에 붙여넣기가 되지 않는다. 목차 한 문장씩 복사해서 넣어야 된다.

⑭ 페이지 번호 입력. 전자책 페이지 번호를 입력한다.

⑮ 전자책 등록. 전자책 기본 정보 입력이 끝났다. 판매 신청을 하기 위한 단계로 넘어간다.

① 콘텐츠 등록. 메인 페이지에서 톱니바퀴에 있는 콘텐
츠 등록으로 들어간다.

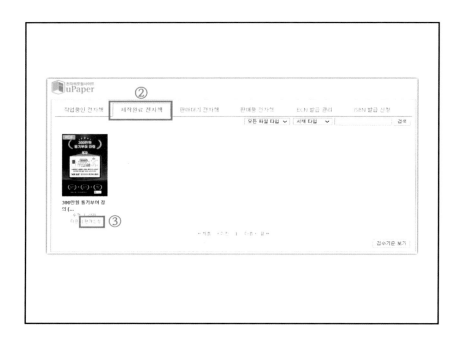

② 제작 완료 전자책. 제작 완료 전자책을 클릭한다.

③ 판매신청. 판매 신청으로 들어가면 책 가격 설정과
판매 제휴사 선택을 할 수 있다.

④ DRM. DRM 적용 할 때 UCASH 500씩 차감된다.

[Digital Rights Management] 디지털 콘텐츠의 무단
사용을 막아, 제공자의 권리와 이익을 보호해 주는 기술
과 서비스를 통틀어 일컫는 말이다. 불법 복제와 변조를
방지하는 기술 등을 제공한다. 전자책 한 권 등록할 때

500원이 들어간다.

⑤ 판매 가격. 전자책 가격을 정한다. 500원 ~ 20,000원까지 설정할 수 있다. 전자책 평균 가격은 10,000원이다.

⑥ 해시태그. 검색 해시 태그를 5개까지 입력 가능하다.

⑦ 미리 보기 설정. 미리 보기 설정은 무료로 몇 페이지까지 오픈할 것인지를 설정하는 곳이다. 대부분 머리말, 목차까지 오픈을 한다.

⑧ 판매 제휴사 선택. 온라인 판매 제휴사 선택 페이지로 이동한다.

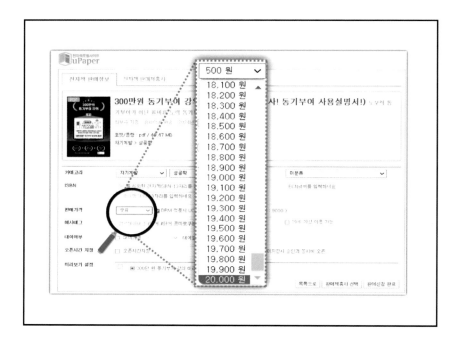

⑨ 제휴사 선택. 제휴사 전체 선택을 체크하면 제휴되어
있는 전체 제휴사가 선택된다.

⑩ 판매 신청 완료. 판매 신청을 클릭하면 마지막 단계
인 책의 주민등록번호인 ISBN 발급 신청을 할 수 있다.

⑪ ISBN 발급 신청 페이지로 이동하기 위해서 홈페이지 메인화면으로 이동 후 콘텐츠 등록 클릭.

⑫ ISBN 발급 신청 카테고리 클릭.

⑬ 등록한 전자책 체크.

⑭ ISBN 발급 신청 클릭.

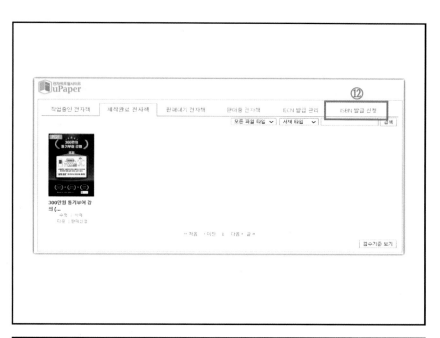

63

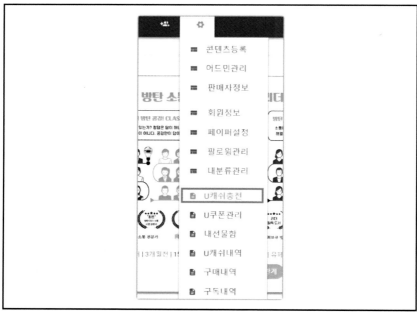

구입 금액	출전 금액	충전방법
○ 1,000원	1,000 U캐쉬	◉ 신용카드
○ 5,000원	5,000 U캐쉬	
○ 10,000원	10,000 U캐쉬	
◉ 20,000원 ①	20,000 U캐쉬	○ 계좌이체
○ 50,000원	50,000 U캐쉬	
○ 직접입력	U캐쉬 충전 : 10000	

② 충전하기

#. ISBN 발급 신청은 무료가 아니다. 한 권 신청 할 때 1,000원의 비용이 발생한다. 유페이퍼출판사의 U캐쉬가 있다면 ⑮확인만 누르면 되자만 U캐쉬가 없다면 충전을 해야 한다.

U캐쉬 충전을 하려면 홈페이지 메인화면에서 톱니바퀴 클릭하면 U캐쉬충전이 나온다. 기본 1,000원에서 50,000만 원까지 가능하다. 충전하기 누르면 결제 창이 뜨고 결제를 한 다음 ⑫번 ISBN 발급 신청을 하면 마무리가 된다. 심사, 승인은 2~3일 정도 걸린다.

표지

• 표지에 도서명, 저자명, 출판사명은 필수 요소입니다.

• 표지는 가로 700px / 세로 1000px 사이즈가 유페이퍼 뷰어에 적합하며, 가로 사이즈 기준으로 600px이상 1000px이내에서 설정해주시기 바랍니다.

• 성인 도서는 '19세 미만 구독 불가' 빨간 띠지 를 삽입해 주시기 바랍니다.

• EPUB과 PDF 모두 파일 첫 장에는 표지가 있어야 합니다.

판권

• EPUB, PDF 파일 내부에는 판권이 있어야 합니다.

• 도서명, 저자명, 출판사명, 출간일, 정가는 반드시 포함되어야 합니다.

• 판권은 독자의 가독성을 위해 가급적 도서 마지막에 설정해 주시기 바랍니다.

가격

• 도서 종류에 따라 가격 설정은 상이하나, 정가를 10,000원 이상으로 하시려면 글자 수 10만 자 이상, 7,000원 이상은 5만 자 이상의 분량이어야 합니다.

• 기존에 판매 중인 도서의 정가 인상은 기존 정가의

30% 내에서 가능합니다.

• 한국출판문화진흥원의 '도서정가제'를 참고해 주시기 바랍니다.

공통된 승인 거절 기준

• 이미 판매 중인 도서를 중복으로 판매 신청하면 승인이 거절됩니다.

• 미완성작, 편집이 덜 된 도서, 테스트 도서는 승인이 거절됩니다.

• 출판사가 아닌 개인인 경우, 출판사명이 '유페이퍼'여야 합니다. (출판사/인쇄사 검색 시스템)에 검색되지 않는 출판사명은 승인거절)

• 도서 소개, 저자 소개의 분량은 4000bytes 이내로 조정해 주시기 바랍니다.

AI제작된 전자책외 판매유통중지

• GPT등 수많은 AI를 이용하여 전자책을 제작, 유통하는 콘텐츠중에서 전국 전자도서관으로부터 클레임이 발생되어 수백여권 B2B판매가 전면 판매중지되었습니다. 따라서 유페이퍼내에서 AI제작된 콘텐츠에 대한 검수강화되었으며, 승인되었더라도 제휴사 유통이 불가할수 있습니다.

1) 나열식으로 정리되어 많은것 처럼 보이나 실제 읽어보면 내용이 허접하고 핵심이 없는 콘텐츠들

2) AI로 작성여부 상관없이 분량대비 가격 높이 책정한 콘텐츠들은 판매불가 (통상 종이책으로 출판된 콘텐츠가 전자책으로 판매시 300페이지 기준 1만원수준이므로 100페이지 3천원선이 적당), (크몽등 재능기부 프리랜서 마켓에서 판매되는것과 유페이퍼 ISBN을 발급받아 정식 출판되어 영원히 기록으로 남는 전자책은 차원이 틀립니다.)

3) 전자책출판교육으로 동일주제 동일콘텐츠로 표지와 작가가 틀리게 등록되는 콘텐츠는 소수만 승인되고 다 거절처리 (제목과 내용이 틀리면 승인)

참고사항

• 동일한 도서를 PDF와 EPUB으로 판매하실 경우, 도서명, 저자명, 정가 등이 동일해야 합니다.

• 등급과 가격 설정은 제공자의 책임과 권한이나. 판단에 따라 수정을 요청할 수 있습니다.

• 간행물윤리위원회(www.kpec.or.kr)의 <심의 대상 및 심의 기준>에 의거하여 승인을 거절하거나 수정요청을 할 수 있습니다.

• 직거래 제휴사를 중복 판매 신청하지 않게 주의해 주

시기 바랍니다.

• 판매 중인 도서를 수정하여 재판 매신청 하시면 보름 간의 판매대기 기간이 발생합니다.

판매 신청 하기 전 마지막으로 확인하기

• 표지는 제대로 들어가 있는가
• 목차의 이름은 제대로 들어가 있는가
• 판권의 내용은 올바르게 들어가 있는가
• 오탈자를 포함한 본문의 편집은 완료되었는가

<유페이퍼>

당신에게 유페이퍼출판사는
천재일우

3.
전자책을 만들기 위한
한글 원고(HWP)작업 매뉴얼

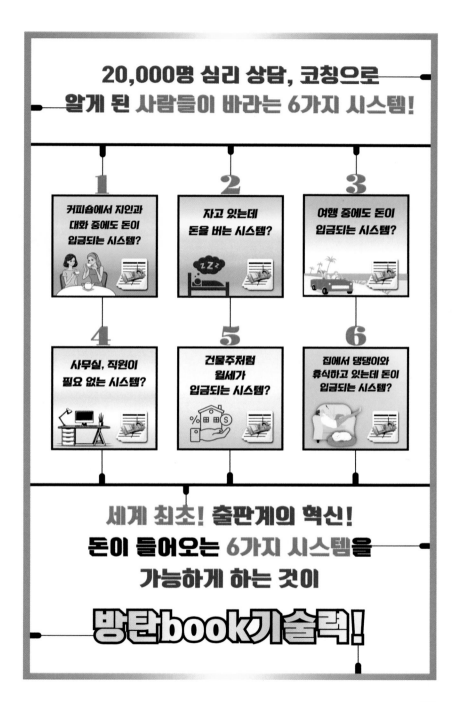

1) 책 원고 작업 세팅.
(한글(HWP)에 종이책 기본 규격 세팅)

대중적인
사이즈

46판

A5

B5

A4

127＊188mm
일반도서
시, 에세이

148＊210mm
일반도서
소설, 에세이

182＊257mm
문제지, 잡지

210＊297mm
문제지, 잡지

[bookk 출판사]

편집 용지

기본 | 줄 격자

설정(D)

취소

용지 종류
종류(N): 사용자 정의   ▼ 등록(M):
폭(W): 154.0 mm ⬍   길이(E): 216.0 mm ⬍

용지 방향   제본
세로(P)   가로(A)   한쪽(1) 맞쪽(2) 위로(3)

용지 여백
위쪽(T): 18.0 mm ⬍
머리말(H): 7.0 mm ⬍

안쪽(L)   바깥쪽(B)
20.0 mm ⬍   23.0 mm ⬍

제본(G)
0.0 mm ⬍

꼬리말(F): 13.0 mm ⬍
아래쪽(B): 18.0 mm ⬍

적용 범위(Y): 문서 전체 ▼   □ 현재 설정 값을 새 문서에 적용(C)

대화 상자 설정(J): 사용자 지정 ▼ 구성(J)...

1) 책 원고 작업 세팅. 한글(HWP)에 종이책 기본 규격 세팅.

책 원고 작업을 여러 가지 프로그램에서 가능하지만 평균적으로 책 원고 작업을 한글(HWP)에서 한다. 그래서 출판사의 종이책 원고 규격에 맞는 한글(HWP)에 기본 규격 세팅을 해야 한다.

▶ 원고 작업을 위한 한글(HWP) 기본 규격 세팅 순서. 한글 → 편집 → 쪽 여백 → 쪽 여백 설정 → 종류(사용자 정의) → 폭(154) → 길이(216) #. A5 대중적인 사이즈 148*210인데 상하좌우 3mm는 실제 제작 할 때 재단되어 반영되지 않기에 148+6*216+6= 폭(154)*길이(216)가 되는 것이기에 참고하자.
→ 용지 방향(세로) → 제본(맞쪽) → 용지 여백 → 위쪽 18.0 → 머리말 7.0 → 꼬리말 13.0 → 아래쪽 18.0 → 안쪽 28.0 → 바깥쪽 23.0 → 문서 전체 → 설정

한 번만 세팅해 놓으면 복사해서 계속 쓸 수 있다.

1) 책 원고 작업 세팅.
(한글(HWP)에 종이책 기본 규격 세팅)

▶ 글꼴: 바탕 ~

▶ 글자 크기: 10 ~

▶ 글정렬: 양쪽 정렬

▶ 줄 간격: 160% ~

※ 글꼴, 글자 크기, 줄 간격 출판사 마다 다르다. bookk 출판사에서 평균적으로 사용하는 규격이 니 참고하길 바란다.

※ 글꼴, 글자 크기, 줄 간격 출판사마다 다르다.
bookk 출판사에서 평균적으로 사용하는 규격이니 참고하길 바란다.

▶ 한글 → 글꼴(바탕) → 글자 크기(10) → 양쪽 정렬 → 줄 간격 160%

필자는 글자 크기를 12, 줄 간격은 180%로 하고 있다. 출판사가 정해 놓은 규격에서 조금 플러스가 될 수는 있지만 마이너스가 되면 안 된다. (책 출간이 안 되는 예시: 글자 크기 9, 줄 간격 150%)

한번만 세팅해 놓으면 복사해서 계속 쓸 수 있다.

1) 책 원고 작업 세팅.
(한글(HWP)에 종이책 기본 규격 세팅)

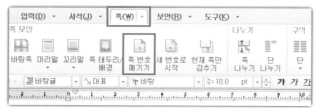

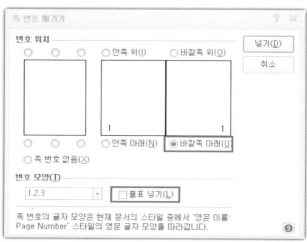

페이지 번호를 미리 세팅해 놓으면 원고 작업할 때 편하다. 지금 몇 페이지를 쓰고 있는지 몇 페이지가 남았는지 체크를 할 수가 있어서 원고 작업이 수월해진다. 쪽 번호 매기기는 원고를 다 쓴 다음에 할 수도 있다.

▶ 한글 → 쪽 → 쪽 번호 매기기 → 바깥쪽 아래 → → 줄표 넣기(자신 스타일에 맞게) → 넣기

한 번만 세팅해 놓으면 복사해서 계속 쓸 수 있다.

2) 책 출간의 뼈대인 초고 매뉴얼
- 책 분야 선택 (인기 있는 분야? 자신 분야?)

대학교로 비유를 하면 여러 가지 과로 나누어져 있듯이 책 분야도 여러 분야로 나누어져 있다. 대학교도 인기 있는 과가 있고 인기 없는 과가 있듯이 책 분야도 인기 있는 분야가 있고 인기 없는 분야가 있다. 한마디로 책을 보는 사람들이 좋아하는 분야가 있다는 것이다.

다음은 책 분야를 정리한 것이니 참고해서 책 분야 전체적인 흐름을 파악하길 바란다.

소설, 시/에세이, 인문, 가정/육아, 요리, 건강, 취미/실용/스포츠, 경제/경영, 자기계발, 정치/사회, 역사/문화, 종교, 예술/대중문화, 중/고등참고서, 기술/공학, 외국어, 과학, 취업/수험서, 여행, 컴퓨터/IT, 잡지, 청소년, 초등참고서, 유아(0~7세), 어린이(초등), 만화, 대학교재
　　　　　　　　　　　　　　　　〈교보문고〉

마음 같아서는 인기 있는 분야를 쓰고 싶을 것이다. 하지만 처음 글을 쓰는 사람들, 글 내공이 없는 사람들, 자신 분야 책을 3권 이상 쓰지 않은 사람들은 인기 있는 분야가 아닌 자신이 자신 있게 쓸 수 있는 분야를 선택해야 한다.

운전으로 예시를 들겠다. 운전면허증을 오늘 취득한 초보가 인기 있는 차종, 사람들이 좋다고 하는 차종, 고가의 차종을 운전한다면 부담이 되어서 나다운 운전 스타일이 나오지 않는다.

당연히 돈이 많아서 운전이 서툴러도 부담 없이 운전하는 사람도 있을 수 있지만 나다운 운전 스타일이 자리잡을 때까지는 부담이 없는 소형차부터 시작을 하듯이 책 쓰기도 인기 있는 분야를 처음부터 시도해도 되지만 자신이 가장 잘 쓸 수 있는 자신 스토리, 자신 전문 분야로 책을 쓰면 글을 잘 쓸 수 있다.

자신에게 맞는 책 분야 선택을 잘 하려면 시중에 있는 자신 분야와 연관 있는 책들 10권 이상 보길 바란다. 10권 이상 보면 어느 정도 감이 올 것이다. 세상에서 가장 좋은 방법은 벤치마킹하는 것이다.

평균 희망 은퇴 73세, 현실 은퇴 나이 49세!
100세 시대 언제까지 몸(노동)으로만
일해서 돈을 벌 것인가?

세상, 현실 기준에서 스펙, 돈, 인맥, 자산 등이 없어서 100세까지 노동을 해야 되고 몸까지 아프면 더 답이 없는 상황! 젊을 때는 100가지 중 99가지를 할 수 있지만 나이 들면 100가지 중 99가지를 할 수 없다. 3고 시대, AI 시대, 챗 GPT 시대에 자신의 직업이 사라 질 수 있는 상황에서 어떻게 준비, 대비할 것인가?

 방탄BOOK기술력
선택이 아닌 필수!

세계 최초
방탄
BOOK
기술력

| Google 자기계발아마존 | ▶YouTube 방탄자기계발 | NAVER 방탄BOOK | NAVER 최보규 |

81

첫 번째, 책 제목을 만들고 책 내용을 쓰는 게 먼저일까? 두 번째, 책 내용을 쓴 다음 책 제목을 만드는 게 먼저일까?

정답은 없지만 20,000명 심리 상담, 코칭, 종이책 150권, 전자책 250권 총 400권 출간 경력으로 알게 된 것은 책 내용을 쓰기 전에 책 제목을 간단하게 만들어야 한다는 것이다. 책 내용을 쓰면서 책 제목이 바뀔 수 있고 좀 더 좋은 아이디어가 나온다는 것이다.

"초고는 쓰레기다."라는 말이 있다. 처음 생각하고 만든 것은 어설프고 미흡하며 보완할 것이 많다는 의미다. 자신이 추구하는 책 분야, 책 가치, 책 신념, 책 의미, 책 목표, 책 방향이 정확하게 있다면 제목을 신중하게 만들 수 있지만 그렇지 않다면 간단하게 제목을 만들어도 된다.

필자에 첫 번째 책은 《나다운 강사 1》, 《나다운 강사 2》다. 필자 본업이 강사이다. 5년 전 강사 직업과 강사 양성코칭을 10년 하면서 쌓인 노하우들을 책으로 출간을 했다. 《나다운 강사 1》책 제목을 '책을 써야겠다.'라는 마음먹은 순간부터 6개월 초고 작업과 탈고까지 하면서 제목을 한 번도 수정한 적이 없다. 책 분야, 책 가치, 책 신념, 책 의미, 책 목표, 책 방향이 정확하게 있었기 때문이다.

20,000명 심리 상담, 코칭, 종이책 150권, 전자책 250 권 총 400권 출간하면서 알게 된 것은 처음 만들었던 책 제목은 초고를 쓰는 동안 여러 번 수정을 한다는 것 이다. 처음 만들었던 책 제목을 책 출간까지 유지 되는 경우보다 수정하는 경우가 더 많았고 9(수정):1(유지)정 도 되었다.

책 제목에 처음부터 힘쓰지 말고 가볍게 만들고 책 내 용을 쓰면서 다듬어 가면 되는 것이다. 책 제목 가칭을 정하고 초고를 쓰면서 자신 분야와 비슷한 책들의 제목 을 참고하며 지금 사람들 좋아하는 트랜드에 맞는 제목 을 만들면 된다.

필자의 멘탈분야에 베스트셀러인 《나다운 방탄멘탈》 책 으로 이해를 시켜주겠다.
《나다운 방탄멘탈》 책 처음 제목이 <나다운 멘탈>이었 다. 나다운 멘탈 주제로 7단계 큰 목차로 구분을 해서 초고를 만들었다.

1단계 나다운 순두부멘탈
2단계 나다운 실버멘탈
3단계 나다운 골드멘탈
4단계 나다운 에메랄드멘탈
5단계 나다운 다이아몬드멘탈
6단계 나다운 블루다이아몬드 멘탈
7단계 나다운 방탄멘탈

퇴고(원고를 고쳐 쓰는 단계)를 하고 탈고(원고를 마무리하는 단계)를 하는 중 한창 BTS(방탄소년단)그룹이 전 세계적으로 이슈가 되고 있었다. 어느 날 멘탈에 대해서 아내와 소통을 하는 중 우주에서 가장 사랑스러운 아내가 이런 말을 했다. "나다운 멘탈이 추구하는 본질이 자신 멘탈을 외부로부터 보호를 먼저 해야만 멘탈 높이는 방법들이 효과가 있다면 지금 방탄소년단이 트랜드이니까 방탄을 제목에 넣어서 나다운 방탄멘탈로 하면 어때?"라는 말에 피카츄 300만 볼트 전기 충격을 받았다.

장기, 바둑도 훈수 두는 사람이 더 잘 보이듯이 필자가 보지 못한 것을 우주에서 가장 존경하는 아내가 본 것이다. 그래서 《나다운 방탄멘탈》 책이 출간과 동시에 멘탈 분야 베스트셀러가 될 수 있었다.

간단히 정리를 하면 첫 번째는 책 제목 가칭을 가볍게 만들기. 두 번째는 초고를 쓰면서 시중에 있는 자신 분야 책들을 참고. 세 번째는 지금 사람들에게 이슈 되는 트랜드 읽기. 네 번째는 퇴고, 탈고하면서 책 제목 최종적으로 다듬기.

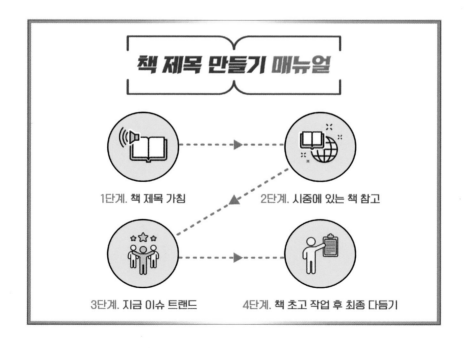

- 책 콘셉트, 사람들이 선호하는 책 콘셉트
(글만 있는 콘셉트? 글+ 스토리텔링? 글+ 스토리텔링+ 이미지?)

20,000명 심리 상담, 코칭, 종이책 150권, 전자책 250권 총 400권 책을 출간하면서 알게 된 것은 시대 흐름에 맞게 독자들이 선호하는 책 콘셉트가 있었다. 책 콘셉트는 스마트폰 시대 전과후로 나누어진다.

스마트폰이 없던 시대에는 책 콘셉트가 책 내용에 글만 있어도 괜찮았다. 그 이유는 글만 있는 책들이 대부분이고 생활 속에서 화려한 이미지, 영상에 노출되는 것이 한정되어 있었다.

하지만 지금은 어떤가? 스마트폰 시대에 하루 만에도 유튜브, 인스타그램, SNS 등으로 인해 수 백 개, 수 천 개의 화려한 이미지, 영상으로 눈이 아플 정도로 노출이 되고 있다. 이런 환경 속에서 책 콘셉트가 이미지는 하나도 없고 글만 있다면 책을 안 보는 사람들이 더 많아지고 책을 더 멀리하게 된다.

책을 좋아하는 사람들은 이미지가 있건 없건 책을 본다. 하지만 책을 좋아하지 않는 사람들은 이미지가 있어야 책을 보는데 좀 더 수월하다는 것이다. 책을 출간하려는 사람들은 책의 기본 사명감이 있어야 한다.

출간한 책으로 돈을 버는 것도 좋지만 자신 책으로 인해서 많은 사람들에게 도움, 영감, 삶의 지혜를 주어 지금 보다 나은 삶을 살아가기 위한 내비게이션 역할을 해줄 수 있는 책 출간을 해야 한다.

책을 보는 사람들을 타깃층 대상으로 책 내용을 쓰는 건 기본이지만 좀 더 나아가 책을 보지 않는 사람들, 책을 싫어하는 사람들이 우연히 자신 책을 봤을 때 "어라! 책 한 페이지만 봐도 졸음이 쏟아지는 사람이었는데 나에게는 책이 수면제였는데 이 책은 이미지, 스토리텔링도 많아서 끝까지 보게 된다. 태어나서 처음으로 끝까지 읽은 책이다. 독서에 눈을 뜨게 한 책이다. 이 작가에게 너무 고맙다."라는 말을 들을 수 있는 책을 출간하기 위한 책 콘셉트를 잘 잡아야 한다.

앞에서 필자의 책을 보고 "태어나서 처음으로 끝까지 읽은 책이다. 독서에 눈을 뜨게 한 책이다."라고 말했던 사람들에 말이 책이 많이 팔리는 기쁨 보다 1,000배는 더 기쁘고 행복했고 내가 살아가는 이유, 내가 존재하는 이유를 느끼게 해주었다. "나의 1%가 누군가에게는 살아가는 이유 100%가 될 수 있다."라는 말을 실제 경험했던 상황이었다.

솔직히 책을 좋아하는 1%들은 글만 있는 것을 더 선호한다. 하지만 대부분 사람들은 글만 있는 것을 싫어한다. 스마트폰으로 인해서 이미지, 영상, 화려함에 중독이 되어 있기 때문이다. 이런 환경 속에서 한 명이라도 자신 책을 읽게 만들기 위한 책 콘셉트가 중요하다고 강조하는 것이다.

그런데 안타깝게도 세계 어느 나라건 출판계 현실이 몇천 년이 지나도 책 콘셉트가 변하지 않고 있다. 지금 4차 산업 시대, AI 시대, 챗 GPT 시대 등 빠르게 변하고 있는 상황 속에서 몇 천 년 전 책 콘셉트와 지금과 별차이가 없고 극단적인 표현을 하면 똑같다는 것이다.

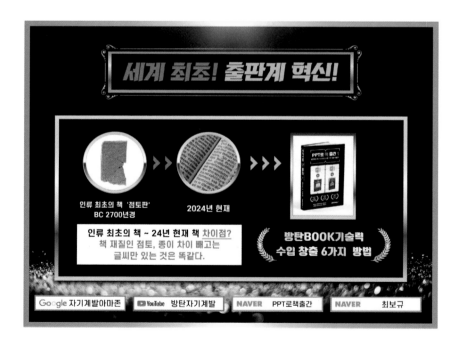

이미지를 보듯이 BC 2700년경 인류 최초의 '점토판' 책과 2024년 지금 책 콘셉트를 보면 비슷하다 못해 똑같다는 것이다. 책 재질인 흙, 종이, 잉크 차이 빼고는 똑같다는 것이다. 어떤 생각이 드는가? 고정형 마인드와 성장형 마인드를 가진 사람 차이를 알려 주겠다.

고정형 마인드를 가진 사람들은 "몇 천 년이 지나도 책 콘셉트는 변하지 않는다. 아무리 스마트폰으로 인해서 이미지, 영상, 화려함에 중독이 되어 있어도 책은 좋아하는 사람만 보기에 앞으로 책 콘셉트는 글만 쓰면 되겠다."

성장형 마인드를 가진 사람들은 "몇 천 년이 지나도 책 콘셉트가 변하지 않았다. 스마트폰으로 인해서 이미지, 영상, 화려함에 중독이 되어있는 환경에서 앞으로 화려함에 중독되어 가는 것이 더 심하면 심했지 덜하지는 않을 것이다. 지금 환경, 사람들 심리에 맞춰 책 콘셉트를 글과 이미지를 잘 조합해야겠다. 그래야만 다른 책과 경쟁에서 살아남을 수 있다."

자신은 고정형 마인드를 가진 사람인가? 성장형 마인드를 가진 사람인가? 가슴에 찔림이 있다면 변화할 기회가 온 것이고 가슴이 두근두근 거린다면 행동할 기회가 온 것이다.

가슴이 벅차 오른 다면 방탄book기술력(6가지 수입 창출 시스템 교육) 코칭 받을 기회가 온 것이다. 지금 당장 상담받길 바란다!
♥ 최보규 방탄book기술력 창시자 010-6578-8295 ♥

#. 세계 3대 혁신이 있다.
- 첫 번째, 스마트폰 혁신
· 1876년 미국의 알렉산더 벨(Alexander G. Bell)
· 2007년 스티브 잡스 아이폰 (아이팟 + 인터넷 + 폰)
- 두 번째, 자동차 혁신
· 1886년 세계 최초 가솔린 자동차 / 칼 벤츠가 발명한 '페이턴트 모터바겐'
· 2024년 벤츠 전기차
- 세 번째, 출판계 혁신
· 인류 최초의 책 '점토판' BC 2700년경
· 방탄book기술력(수입 창출 6가지 방법)

지금 당신이 보고 있는 이 책이 세계 최초로 출판계의 혁신인 방탄book기술력이다. 지금 당신에게 천재일우 (천 년에 한 번 만난다는 뜻으로 좀처럼 만나기 어려운 기회) 온 것이니 조상님에서 감사하고 "내가 인생을 지금까지 잘 살아서 이런 기회가 오는구나."라는 마음으로 제대로 배워서 자신을 알고 있는 사람들에게 필요한 사람이 되길 바란다.

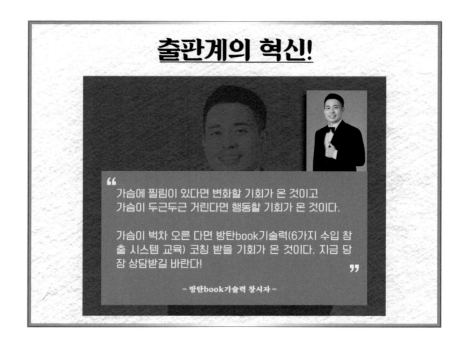

세계 3대 혁신!

스마트폰 혁신

1876년
미국의 알렉산더 벨(Alexander G. Bell)

2007년 스티브 잡스
아이폰 (아이팟 + 인터넷 + 폰)

자동차 혁신

1886년 세계 최초 가솔린 자동차
칼 벤츠가 발명한 '페이턴트 모터바겐'

2024년 벤츠 전기차

세계 최초! 출판계 혁신!

인류 최초의 책 '점토판'
BC 2700년경

2024년 현재

인류 최초의 책 ~ 24년 현재 책 차이점?
책 재질인 점토, 종이 차이 빼고는
글씨만 있는 것은 똑같다.

방탄BOOK기술력
수입 창출 6가지 방법

Google 자기계발아마존   YouTube 방탄자기계발   NAVER   PPT로책출간   NAVER   최보규

세계 최초! 출판계 혁신!

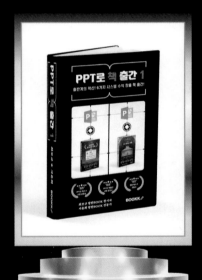

책만 출간하고 끝나는 것이 아닌 자신 분야와 출간 한 책을 연결하여 6가지 수입 창출을 연결 할 수 있는 방법이 아닌 기술력을 마스터 한다.

우리는 이것을
방탄book기술력이라 부른다.

20,000명 심리 상담, 코칭, 종이책 150권, 전자책 250권 총 400권 책을 출간하면서 알게 된 사람들이 선호하는 책 콘셉트를 설명하겠다.

첫 번째, 글만 있는 책 콘셉트.

시중에 있는 책 90%가 글만 있는 책 콘셉트이다. 오해하지 말고 들었으면 한다. 글만 있는 책이 나쁘다고 말하는 것이 아니다. 앞에서 언급했듯이 몇 천 년이 지나도 책 콘셉트가 변하지 않고 있다는 것을 말하고 싶은 것이다. 글만 있는 콘셉트는 책을 좋아하는 사람들에게는 상관이 없다. 글만 있는 콘셉트가 익숙하기 때문이다. 하지만 책을 좋아하지 않는 사람들에게는 글만 있는 책 콘셉트는 독서에 중요성만 알고 있는 사람들에게는 늘 좌절하게 만든다. 시도는 늘 한다. 글만 있는 책 콘셉트는 늘 좌절하게 만들어 독포자(독서 포기자)가 되어 가는 안타까운 상황이 벌어진다.

두 번째, 글과 글을 뒷받침해 주는 스토리텔링.

글 빨, 글 내공이 있는 작가라면 충분히 자신의 스토리만으로도 책 내용 전달이 되어 책을 이해하는데 문제가 없다. 하지만 글 빨, 글 내공이 없는 작가들이 90%이다. 작가의 스토리로는 독자들에게 책 내용 전달이 쉽지 않고 이해력도 떨어진다. 그래서 글 빨, 글 내공이 없고 책을 많이 써보지 않은 사람이라면 독서, 영상, SNS 등에서 나오는 스토리텔링을 자신 글과 접목을 하면 된다. 자신 글에 날개를 달아주는 것이 기존에 있는 스토리텔링을 융합하는 것이다. 그러기 위해서는 평상시 스마트폰을 최대한 활용해야 한다. 하루 만에도 수 백 개, 수천 개의 영상, 이미지, 좋은 글, 좋은 메시지 등을 본다. 캡처하거나 글을 복사해서 메모장에 저장해 두었다가 책 쓸 때만 활용(저작권 위반 사항 주의) 하는 것이 아니라 힘들고 지칠 때 한번 씩 보면 도움이 되고 지인들과 대화하다가 도움이 되는 메모가 생각이 나면 보내 줄 수도 있다. 필자의 7,000개 메모가 종이책 150권, 전자책 250권 총 400권을 출간하는데 기초가 되었다.

세 번째, 글과 글을 뒷받침해 주는 스토리텔링이 99℃ 물이라면 1℃를 올려 끓게 만드는 건 이미지 디자인.

사람은 시각적인 동물이다. 시각적인 효과가 95%를 차지한다. 지금 시대는 숏폼으로 인해서 집중도가 더 낮아지고 있다. 이런 현실 속에서 책을 쓰는 사람이라면 독자들에 집중력까지 감안해서 집중력을 끌어올릴 수 있는 책 콘셉트를 잘 정해야 한다.

지금 어떤 시대에 살고 있는가? 스마트폰으로 인해서 하루만 해도 영상, 이미지, 글... 눈이 아플 정도로 화려한 것을 수 만개는 본다. 한마디로 지금 시대 사람들의 평균 시각적인 수준이 높다는 것이다. 이런 상황에서 글만 있는 책이라면 집중도가 떨어진다. 호기심을 유발, 궁금증 유발 "이런 디자인은 처음 보는데 너무 신선하다. 럭셔리하다."라는 마음이 들어서 보고 싶도록 이미지도 있어야 집중도가 올라간다. 다음은 지금 현실 속 사람들의 집중력에 대한 내용이다.

겨우 8초, 금붕어보다 못한 인간의 집중력
소위 'MZ'라고 불리는 요즘 젊은 세대는 어렸을 때부터 늘 새로운 자극으로 가득한 디지털 환경에 노출된 채 자랐다. 그래서인지 한 가지 주제에 오랫동안 집중하기 상당히 어려운 뇌 구조를 지녔다고 한다. 뭔가에 집중할 수 있는 시간(Attention Span)에 관한 연구를 살펴보자. 아동이 주의해서 집중할 수 있는 시간은 얼마나 될까? '자신의 나이×1분' 정도라고 한다. 6세 어린이는 약 6분 정도 집중할 수 있다는 뜻이다. 이 시간은 개인에 따라 차이가 있고, 몰입하면 10~15분까지는 늘어날 수 있다. 너무 지루하지도 않고 그렇다고 아주 재미있지도 않은 평범한 수업을 하고 있다고 하자. 십 대 학생들은 보통 수업을 듣기 시작하면 약 10분 후부터 집중력이 떨어진다. 일반적으로 이들이 뭔가에 주의해서 집중할 수 있는 시간은 20분을 넘기기 어렵다. 따라서 수업 시작 후 10~20분이 지나면 신경전달물질이 고갈된 학생들은 이내 집중에 어려움을 느끼고 주의가 산만해진다. 그래서 유튜브 영상의 평균 길이는 15~20분이고, 테드(TED) 강연 길이는 18분이다. 집중력을 감안해 메시지를 확실히 전달하기 위한 시간이다. 드롭박스의 마케팅 신화를 쓴 실리콘밸리 최고의 마케터 션 앨리스(Sean Ellis)가 한 말을 약간 각색하여 들어보자.

"고객의 주의집중을 원하신다고요? 사업 규모의 확장을 위해서는 시장이 원하는 언어를 사용해야 합니다. 언어의 시장 적합성이 무엇보다 중요하죠. 잠재 고객의 마음을 움직일 수 있는 말을 상상해 보세요. 당신이 만든 제품을 고객이 마주할 때 어떻게 해야 가장 효율적으로 전달할 수 있을지 생각해 보셨나요? 고객이 좋아하지 않는 언어로 구애한다면 실패입니다. 제품 가치를 알아줄 상대방이 없는 곳에서 헛스윙을 하는 거라고 생각하면 됩니다." 여기서 왜 고객의 마음을 끌어당길 언어에 몰두해야 하는지 그 이유가 나온다. 스마트폰이 생기기 전 고객이 광고에 집중할 수 있는 시간은 12초였다. 이제는 8초로 뚝 떨어졌다. 9초인 금붕어보다 못하다.

주의집중 시간의 변화
12초 – 2000년 인간의 평균 주의집중 시간
8초 – 2015년 인간의 평균 주의집중 시간
9초 금붕어의 주의집중 시간

인간의 평균 주의집중 시간 인간의 평균 주의집중 시간 금붕어의 주의집중 시간 왜 이런 일이 발생했을까? 주변의 수많은 자극에 적응하다 보니 주의력이 줄어들었다는 것이 통설이다. 생각해 보라. 우리는 매일매일 넘치는 정보의 홍수 속에서 살아가고 있다. 수시로 오는 문자와 카카오톡 메시지, 귀찮아 들여다보지도 않는 이메일처럼 하루하루 우리의 신경을 산만하게 하는 요소가 차고 넘친다. 그 결과 집중해서 주의를 지속하는 시간이 줄어드는 것은 당연한 결과다. 게다가 여러 일을 한꺼번에 하는 멀티태스킹형 업무 방식에 길들여진 젊은 세 대에게 이런 현상은 더욱 심각하게 다가올 수밖에 없다.

뇌 신경세포를 뜻하는 뉴런과 마케팅의 합성어인 뉴로마케팅(Neuro Marketing)의 연구 결과를 보자. 브랜드의 색상이 소비자로 하여금 다양한 감정을 불러일으킨다고 한다. 소비자들이 상품을 구매하는 데 있어 시각적 효과가 약 95%를 차지한다고 하니, 디자인과 색감이 큐레이터에게는 아주 중요하다.

색은 브랜드를 인식하는 강력한 수단으로, 그리고 소비자의 신뢰를 확보하는 무기로 작용한다. 빨간색 코카콜라와 초록색 스타벅스 로고가 소비자의 지갑을 열게 하는 강력한 마케팅 도구로 활용되고 있다는 것은 마케팅 세계에서는 익히 아는 이야기다.

《감정 경제학》

금붕어의 집중력이 9초인데 지금 시대 사람들의 집중력이 8초라는 말이 씁쓸하기만 하다. 지금시대 사람들의 심리를 알려주는 내용이었다.

어떤 분야든 지금 시대 사람들의 상태, 심리를 알아야만 공격적으로 영업, 마케팅을 할 수 있고 자신 분야 제품을 알릴 수 있는 것이다.

시각적인 효과가 95%를 차지한다는 것은 어마어마한 것이다. 그래서 책 콘셉트에 디자인이 중요하다고 말을 하는 것이다. 다시 한 번 강조하겠다. 사람들이 선호하는 책 콘셉트는 작가의 글을 뒷받침해주는 스토리텔링에 핵심 정리를 시켜줄 이미지 디자인이다.

예시)

작가 글(세 번째, 작가의 글을 뒷받침해 주는 스토리텔링이라는 99℃ 물에서 1℃를 올려 끓게 만드는 이미지 디자인)+ 스토리텔링(금붕어 스토리텔링)+ 이미지 디자인

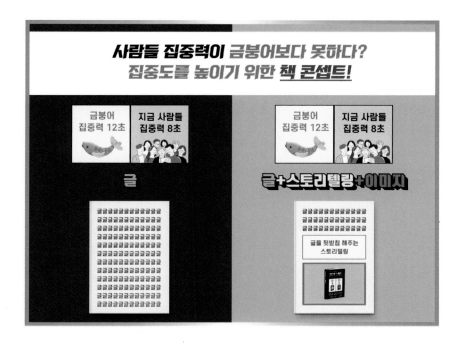

- 초고 내용 (1개월 안에 끝내기? 여유를 가지고 끝내기?)

대부분 작가들이 초고는 최대한 빠르게 작업해야 한다고 알고 있다. 시중에 있는 책 쓰기 책, 책 출간 책들을 보면 평균적으로 말하는 초고 기간은 1년, 6개월, 3개월, 1달 안에 해야 된다. 라고 알고 있다. 될 수 있으면 초고를 빠른 시간 안에 끝내는 게 좋다. 그 이유는 글빨, 글 영감이 한번 집중해서 쓸 때 잘 나오고 글이 살아나기 때문이다. 초고 쓰는 기간이 길어지면 글을 쓰는 동기부여도 약해져서 책을 쓰는 열정이 식기 때문이다.

20,000명 심리 상담, 코칭, 종이책 150권, 전자책 250권 총 400권 책을 출간하면서 알게 된 것은 초고를 빠르게 작업해야 된다는 말은 49%만 맞다. 51%는 아니다. 49%만 맞는 이유는 책 쓰기, 책 출간이 직접적으로 자신 직업과 연관이 되어 시간의 여유가 없고 돈을 벌기 위함이라면 최대한 빠르게 단시간 안에 초고 작업을 끝내는 게 맞다. 하지만 책 쓰기, 책 출간이 직접적으로 자신 직업과 연관이 없고 시간적 여유가 있는 책 쓰기, 책 출간이라면 시간이 걸리더라도 상관은 없다.
자신 스타일, 자신 상황에 맞는 초고 작업을 하면 되는 것이다.

평균적으로 초고 내용 작업은 한글 파일(HWP)에서 한다. 출판사마다 원고 기준이 다르지만 평균적으로 초고 기준을 알려주겠다.

한글 파일(HWP) → 편집 → 쪽 여백 → 쪽 여백 설정 → A4(국내판:210*297mm) → 용지 방향 세로 → 제본 맞쪽.

글자체: 바탕
글씨 크기: 10pt
줄 간격: 160%
장평 100%
사진 포함 시 '문서에 포함' 체크

쪽수는 100쪽 이상 써야지만 평균 책 한 권 250페이지 양이 나온다.

초고때 한글 파일(HWP) 100쪽에 써야 된다. 1쪽을 하루, 3일, 1주일 등으로 나누어 초고를 써야 한다. 1주일에 1쪽씩 쓴다고 가정했을 때 1년이 총 52주이기 때문에 52쪽이 나온다. 1주일에 2쪽이면 104쪽이 나온다.

초고를 쓸 때 가장 중요한 것이 있다. 대부분 책 쓰기 책들이 말하는 것은 "표준어를 써야 되고 비속어는 쓰면 안 되며 사투리, 욕이 들어가면 안 되고... 등 자연스럽게 읽을 수 있고 거부감 없는 말투로 써야 된다."라고 나와 있다.

필자가 경험상 어떤 책이냐에 따라 다르다고 생각한다. 교재나, 학습용, 교육용, 전문 지식을 전달하는 책을 쓴다면 당연히 자제를 해야 되지만 대부분 일반적인 책이기에 일반적인 책이라면 표준어에 맞춰서만 쓰면 되는 것이다. 특히 처음 책을 쓰는 사람이라면 더더욱 힘들 것이다. 몇 글자 쓰고 맞춤법 검사기로 표준어 검사해서 쓴다면 몇 백 년은 걸릴 것이고 책 한 권 쓰다가 인생 끝난다.

초고를 빠른 시간에 쓰면 좋겠지만 글 빨, 글 내공이 있지 않는 한 머리에 뒤죽박죽 섞여 있는 내용을 글로 옮긴다는 게 어렵다. 사람마다 다를 수 있지만 필자는 책 10권을 출간 했을 때 글 빨, 글 내공이 나왔다. 방탄 book기술력 코칭 해보면 코칭 받는 사람들이 늘 하는 말이 있다. "머리에는 있는데 글로 표현하려니 잘 안됩니다."라는 하소연을 하는 사람들이 많았다. 누구나 겪는 인고의 시간이다. 그 시간을 극복해야만 글 빨, 글 내공이 나오는 것이다.

방탄book기술력 코칭 할 때 알려주는 팁을 한가지 오픈하겠다. 머리에 있는 내용이 글로 표현하기가 어려울 때 최고의 방법은 녹음을 한 다음 녹음 한 것을 필사하면 된다. 필사하는 것 또한 쉽지 않다. 녹음한 것을 플레이하고 정지해서 한 문장 필사하고 계속 반복한다는 것이 쉽지는 않다. 그래서 도구를 사용 하면 되는데 녹음했던 파일을 텍스트로 변환해 주는 프로그램을 사용 하더라도 정확도가 떨어지기에 다시 체크를 해야 한다. (네이버 검색: 클로바 노트)

필사 목적이 오로지 책을 출간하기 위한 동기부여만 있다면 금방 지친다. 그래서 여러 가지 필사 동기부여를 해야 한다. 책을 출간하는 동기부여도 있지만 머리에 있는 것을 말로 하면 1차로 정리가 되고 필사를 하면 2차로 정리가 되어 핵심 내용이 다듬어진다. 자신 전문 분야를 필사한다면 매뉴얼, 자료화가 만들어져서 진정한 전문가로 거듭나고 자신 분야 삼성(진정성, 전문성, 신뢰성)이 향상된다.

짝퉁 전문가는 말로만 설명한다. 설명도 정리가 되지 않아 어렵게 말한다. 명품 전문가는 설명도 쉽게 하지만 글을 통해 매뉴얼, 자료화를 만든다. 필사를 많이 하거나 책을 많이 쓰는 사람들 특징은 말을 조리 있게 잘하고 상황, 상대방을 이해하는 능력이 좋다. 스피치에서는 당당함, 자신감, 열정이 느껴진다. 필사는 인고의 시간이 필요하지만 인고의 시간만큼 얻어 가는 것이 많다는 것을 명심하자.

#. 초고를 잘 쓰려면 5라를 해야 한다.
1. 표준어는 잊고 그냥 써라!
2. 사투리는 신경 쓰지 말고 그냥 써라!
3. 비속어 신경 쓰지 말고 그냥 써라!
4. 욕 신경 쓰지 말고 그냥 써라!
5. 생각나는 대로 그냥 써라!

초고는 평상시 가족들과, 친한 친구들과 대화하는 말투로 쓰면 된다. 그래야 부담 없이 머리에 있는 것이 나온다. 초고를 다 쓰면 교정, 교열은 전문가에게 맡기면 된다. 처음 책 쓰는데 너무 힘들게 쓰지 말라는 것이다.

정성스럽게 온 힘을 다해서 어렵게 쓰는 책과 대충 쓰는 책을 대하는 태도가 다르겠지만 처음부터 이것저것 신경을 너무 많이 써서 초고를 쓰면 빨리 지친다. 자신 전문분야가 아닌 일반 책을 쓸 거라면 힘을 빼고 쓰는 게 좋다.

마라톤 풀코스를 뛰어보고 알게 된 것이 있다. 마라톤에서 가장 중요한 것이 나다운 페이스다. 자신을 앞서가는 사람들 주위 사람들을 의식하는 페이스는 완주를 못한다. 초고 쓰기 완주를 하기 위해서는 나다운 글쓰기 페이스가 중요하다는 것이다.

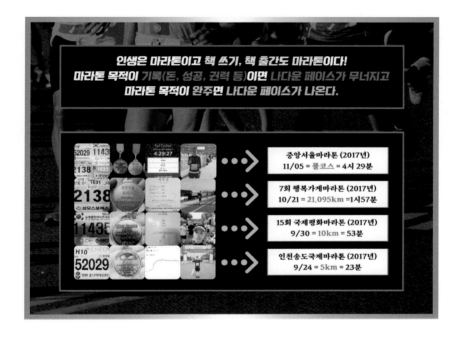

방탄book기술력을 코칭 할 때 늘 하는 말이 있다. "최보규 방탄book기술력 창시자와 함께 한다면 온 힘을 다해, 온 정성을 다해 3대까지 가는 책을 쓰기 위해 집중해야 되지만 혼자 책을 쓴다면 동기부여해 줄 사람이

없기에 닥고(닥치고 무조건 고고고)해야 합니다. 방탄 book기술력을 만난 건 천재일우(천 년에 한 번 만난다는 뜻으로 좀처럼 만나기 어려운 기회)라 생각하시고 믿고 따라오시면 됩니다. 책 쓰기, 책 출간, 인생 페이스메이커가 되어 주겠습니다."

20,000명 심리 상담, 코칭으로 알게 된
20,000명이 바라는 책 쓰기, 책 출간 교육, 코칭

 # 10가지

1 한번 출간한 책으로 <u>평생 활용하는 방법을</u> 알려주는 교육, 코칭

2 <u>로또 2등과 같은 기획출판을 하기 위해서</u> 출판기획서 제작 스트레스, 거절 메일을 확인 하는 스트레스, 370가지 스트레스... 등 마음고생 덜 하고 책 출간할 수 있는 책 쓰기 교육, 코칭

3 책 활용 수입 창출 시스템 교육을 검증 된 전문가에게 한 곳에서 <u>시간, 돈 낭비를 줄여주는</u> 책 쓰기 교육, 코칭

4 한번 코칭으로 <u>100년 a/s, 피드백, 관리</u>해 주는 책 쓰기 교육, 코칭

5 책 출간 후 <u>자신 분야 삼성(진정성, 전문성, 신뢰성)을 높여 자신 분야 내공, 가치, 몸값</u>까지 올릴 수 있는 책 쓰기 교육, 코칭

출간한 책으로 <u>강사가 되어 은퇴 후 제2의 직업</u>을 할 수 있는 책 쓰기 교육, 코칭

 책 출간 후 자신 분야 코칭 전문가가 되어 은퇴 후 <u>제3의 직업</u>까지도 할 수 있는 책 쓰기 교육, 코칭

 책 출간 후 온라인 콘텐츠까지 제작을 해서 <u>비수기 없는</u> 책 쓰기 교육, 코칭

 책 출간 후 디지털 콘텐츠까지 제작을 해서 <u>월세, 연금성 수입까지 발생</u>시킬 수 있는 책 쓰기 교육, 코칭

 책 한 권 출간하고 끝나는 것이 아니라 <u>100년 동안</u> 책을 무한대로 출간 할 수 있는 책 쓰기, 책 출간 기술력을 교육, 코칭

책 쓰기, 책 출간 교육, 코칭은 누구나 한다.
<u>**6가지 수입 창출 책 쓰기, 책 출간**</u>
<u>**교육, 코칭은 방탄BOOK 창시자 뿐이다.**</u>

110

20,000명 심리 상담, 코칭으로 알게 된
20,000명이 바라는 책 쓰기, 책 출간 교육, 코칭

10가지

www.방탄book.com

NAVER 방탄book출판사

세계에서 20,000명이 바라는
책 쓰기, 책 출간 교육, 코칭 10가지를
할 수 있는 곳은

방탄book출판사 뿐이다!
최보규 강사책출간 코칭전문가

3) 퇴고, 탈고의 본질

한글(HWP)원고 작업에 마지막 단계인 퇴고, 탈고다.

책 쓰기 5단계
원고 → 초고 → 퇴고 → 탈고 → 투고

원고는 책을 쓰기 위한 한글(HWP)원고 기본 규격 세팅
단계다.
초고는 초벌로 쓴 원고다.
퇴고는 원고를 고쳐 쓰는 단계다.
탈고는 원고를 마무리하는 단계다.
투고는 마무리 한 원고를 출간하기 위해 출판사에 보내
는 단계다.

투고의 해석 "내 원고 한번 읽어 보고 대중적으로 인기
가 있을 거 같거나 돈이 될 거 같으면 1,000만 원 ~
3,000만 원 투자해서 출간 해주세요." 라는 직설적인 의
미가 있다.
이것을 로또 2등과 같다고 하는 기획출판이라고 한다.
그래서 아무나 기획출판을 하지 못한다. 필자의 대표적
인 기획 출판의 책이 《나다운 방탄멘탈》이다. 300개가
넘는 출판사에 출판 기획서를 만들어서 보냈다. 거절 메

일이 몇 개가 왔을 거 같은가? 누군가는 투고 스트레스 때문에 원형 탈모가 오고 소화불량, 우울증까지 걸린 사람도 있다. 당연한 것이다. 1,000만 원 ~ 3,000만 원 (책 한 권 작업하는 모든 비용인 인건비, 책 부수, 홍보비, 유통비, 물류비...)을 투자해 주는데 아무나 기획출판을 해주겠는가? 출판사에서는 리스크를 감수하고 기존에 경험과 가능성으로 기획출판을 하기 위해서 신중에 신중할 수밖에 없다. 하루 만에도 대형 출판사에 평균 투고 원고가 100개 이상이 온다고 한다.

그래서 대부분 책 출간하는 사람들이 자비출판, 대필 출판을 한다. 돈만 있으면 투고 스트레스 없이 책을 출간할 수 있기 때문이다. 그래서 시간의 여유가 없고 책 쓰기를 해보지 않은 사람들, 국회의원, CEO, 유명인사들 대부분이 대필 출판을 한다. 대필 출판이 불법, 이상한 것이 아니다. 머릿속에 있는 내용을 말로는 하기 쉬운데 글로 쓰고 정리하는 것이 힘들기에 대필 전문가에게 의뢰를 해서 책을 출간한다. 자비 출판은 자신이 써 놓은 원고가 있는 상태에서 100만 원 ~ 500만 원 들어가고 대필 출판은 원고가 없어도 가능하며 기본 400만 원 ~ 1,000만 원까지 들어간다. 대필 출판은 책 출간이 아니라는 말이 있다.

'책을 출간 한다.'기 보다는 '책을 산다.'라는 말이 더 가깝다. 그래서 원고를 직접 써본 사람과 안 써본 사람 차이는 하늘과 땅 차이다. 대필 출판인지 아닌지 알 수 있는 방법이 있다. 그것은 방탄book기술력 코칭 때 배우게 된다.

책을 한 권 출간하면 2권 ~ 3권을 출간할 수 있는 가능성이 생기고 2권 ~ 3권을 출간하면 10권을 출간할 수 있는 가능성이 생기며 10권을 출간하면 100권을 출간할 수 있는 가능성이 생긴다. 한마디로 한 가지를 이루면 더 큰 것을 이룰 수 있는 개미 성취감이 누적되어 상상할 수 없는 결과가 나오는 것이다.

필자가 종이책 150권, 전자책 250권 총 400권 출간할 수 있는 비결 중에 한 가지가 독립(개인, 자가)출판인 방탄book기술력으로 출간 했다는 것이다.

지금 당신이 보고 있는 이 책의 내공, 가치 값어치가 책값의 1억 배는 가져간다는 것을 명심해야 한다. 단언컨대 대한민국, 세계 어디에서도 방탄book기술력을 배울 수 없다. 오직 방탄book사관학교에서만 가능하다.

4) 책 출간을 위한 체크리스트

- 오타 확인 (오타 체크를 하면 할수록 계속 나오는 이유)

다음은 오타 체크를 하면 할수록 계속 나오는 이유가 왜 그러는지 깨닫게 해주는 내용이다.

출간 후 대놓고 보이는 오타! 왜 여러 번 퇴고해도 못 찾을까? 읽지 않고 보기 때문이다. 내가 쓴 글은 이미 내용을 잘 알고 있다. 이 문장 다음에 무슨 내용이 나올지 이미 안다. 출판사 교정 교열 담당자도 마찬가지. 여러 차례 반복해서 읽다 보면 자연스럽게 내용이 외워진다. 그렇게 되면 '읽는다.'고 생각하지만 착각이다. 실제로는 그저 눈으로 '보기만' 한다.
글 전체를 텍스트가 아니라 하나의 이미지로 인식하는 것이다. 그러니 첫 줄부터 대놓고 오타가 있어도 발견하지 못하는 일이 생긴다. 남이 쓴 글에 오타가 잘 보이는 이유기도 하다. 내용을 모르니 자세히 '읽기' 때문이다.
이것이 퇴고 과정에서 한 번은 소리 내어 읽어야 하는 이유다. 김영하 작가님의 책 <보다 읽다 말하다>라는 제목이 정답을 말하고 있다. 보지 말고 입으로 소리 내어 읽어야 한다.

<네이버 블로그 카루의 프리랜서 라이프>

오타 체크하는 방법이 여러 가지가 있다. 필자가 하는 방법을 소개하겠다. 네이버 맞춤법 검사, 한국어 맞춤법/문법 검사기다. 가장 많이 사용하는 것이 네이버 맞춤법 검사기다. 100% 정확하지는 않지만 간접적인 퇴고하기 위한 오타 체크로는 쓸만하다.

필자가 하는 방식은 이렇다.
1차로 작업해 놓은 원고 내용을 복사해서 네이버 맞춤법 검사기에 300자 이하로 붙여 넣기 하고 몇 백번 반복으로 전체 원고 오타 체크한다. 2차로 직접 목소리를 내면서 읽고 오타 체크를 한다. 3차로 원고 전체 인쇄를 해서 3자에게 오타체크를 부탁한다. (같은 분야 종사자, 책 분야 종사자, 아내, 친구, 지인...)

원고 퇴고는 오로지 글 오타 체크가 주목적이 아니다. 퇴고의 주목적은 자신이 쓴 글을 다시금 정리하고 다듬어서 자신 분야 삼성(진정성, 전문성, 신뢰성)을 향상, 선한 영향력을 끼치기 위한 인생, 사람들에게 도움이 되는 인생, 세상에 필요한 사람이 되기 위한 인생, 지혜로운 인생을 살아가기 위한 행동을 하게 만드는 작업이다.

퇴고를 편하게 하고 싶다면 교정, 교열 전문가에게 맡겨도 된다.

A4 기준 / 글자 크기 10 / 줄 간격 160%

장당 1,000원 ~ 10,000원

(100페이지: 1,000*100= 100,000원)

(100페이지: 5,000*100= 500,000원)

A5는 500원 ~ 5,000원

전문가 일지라도 100% 오타 체크가 되지 않는다. 1차 체크하고 받아서 자신이 체크하고 다시 보내면 2차 체크하고 자신이 체크하는 식으로 3차까지 하고 3차 이후에는 추가 비용이 발생한다.

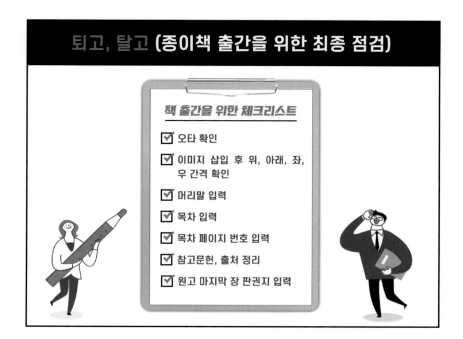

한글(HWP)원고에 JPEG 파일을 삽입 하면 JPEG 이미지가 한글 규격 세팅해 놓은 규격대로 위, 아래, 좌, 우 변화 없이 삽입되는데 줄 간격은 맞지 않아서 이미지를 한 장씩 맞춰 줘야 한다.

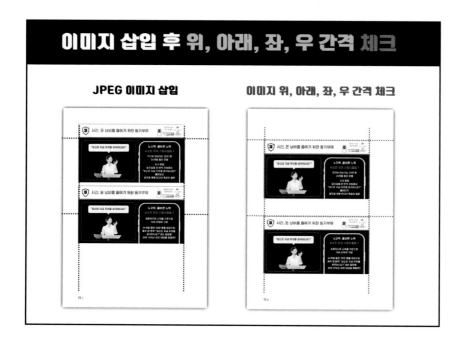

- 머리말 입력

머리말의 국어사전 뜻.

책이나 논문 따위의 첫머리에 내용이나 목적 따위를 간략하게 적은 글. 말이나 글 따위에서 본격적인 논의를 하기 위한 실마리가 되는 부분.

<국어사전>

간단히 정리를 하면 책이 추구하는 목표, 방향이라고 생각하면 된다. 다음으로 나오는 2권의 책 머리말을 참고하자. 《300만원 동기부여 강의》, 《1조 리더십 강의》

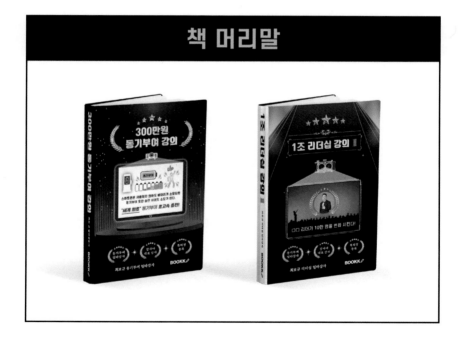

방탄동기부여 PPT를《300만원 동기부여 강의》책으로
출간 했던 머리말.

머리말

세상에 동기부여 못하는 사람은 없다. 단지 동기부여 잘
하는 방법을 모를 뿐이다.

특허청 등록! 등록 번호: 제 40-2072344 호

[최보규 자기계발코칭 창시자]

20,000명 심리 상담, 코칭 / 15년 2,000권 독서

자기계발서 100권 출간 / 강사 15년, 강의 6,000회

7G 직업

(출판사 대표, 작가, 심리 상담사, 코칭 전문가, 강사, 유
튜버, 한집의 가장)

45년간 습관 320가지 만듦...

많은 경력과 시행착오, 대가 지불, 인고의 시간을 통해
알게 된 동기부여를 세계 최초로 공개한다.

스마트폰은 사용하지 않아도 배터리가 소모되듯 동기부
여 또한 숨만 쉬어도 소모가 된다. 누군가에 의해서 충
전하면 하루(1일) 가지만 초고속 충전하는 방법을 알면
100년 지속할 수 있다.

어떤 강의에서도 말하지 못한 동기부여!

어떤 강사도 말하지 못한 동기부여!

어떤 책에도 없는 동기부여!
어떤 영상에서도 볼 수 없는 내용의 동기부여!

방탄리더십 PPT를 《1조 리더십 강의》책으로 출간 했던 머리말.

머리말

3고(고물가, 고금리, 고환율) 시대, 포노 사피엔스 시대, 4차 산업 시대, AI시대, 챗GPT 시대... 빠르게 변하는 현실 속에서 점점 더 힘들어지는 상황을 극복하고 차별화 리더십이 아닌 초월 리더십으로 업데이트하기 위한 방탄리더십 5단계 시스템!

1단계
노벨상 수상자 리더십, 성공한 리더의 리더십은 다 잊어라! 4차 산업 시대는 4차 리더십인 방탄 리더십 업데이트를 통해 천재지변 리더가 아닌 천재일우 리더
2단계
스트레스 관리, 마인드컨트롤이 잘 되는 리더 자존감, 멘탈 배터리 고속 충전하는 방법
3단계
삼성(진정성, 전문성, 신뢰성)을 높이는 습관을 통해 리더 행복 초고속 충전하는 방법
4단계

리더 자기계발, 동기부여책 200권, 영상 300개, 교육을 들어도 리더 자기계발, 동기부여가 안 되는 이유

5단계

퇴사를 막고 인재가 오래 머물게 하는 방탄 리더 품위 유지의무 10계명

리더는 누구나 하지만 방탄 리더는 아무나 못한다.

방탄 리더 1명이 10만 명을 변화시키고 먹여 살린다.

누구나 방탄 리더가 될 수 있었다면 난 절대로 방탄 리더를 선택하지 않았을 것이다.

어떤 강의에서도 말하지 못한 리더십!

어떤 강사도 말하지 못한 리더십!

어떤 책에도 없는 리더십!

어떤 영상에서도 볼 수 없는 내용의 리더십!

목차는 책 전체 흐름을 알려주는 곳이고 책을 구매할 때 디테일하게 보는 곳이다. 그래서 시중에 같은 분야에 있는 책들과 차별화를 느낄 수 있는 목차 문구를 만들어야 한다.

책 내용과 동떨어지지 않고 "어라! 이 책 목차는 같은 분야에 책들과 다르다. 신선하다. 호기심이 생긴다."라는 느낌을 주어야 한다. 다음으로 나오는 출간했던 《300만원 동기부여 강의》 책 목차를 참고하자.

책 목차

목차 입력

원고 1페이지부터 마지막 페이지까지 한 장씩 보면서 페이지 번호를 입력하면 된다. 페이지 번호가 틀리면 안 되기에 페이지 번호 입력한 다음에 한 번 더 확인해 주면 좋다. 방탄동기부여 PPT를 《300만원 동기부여 강의》 책으로 출간했던 목차 페이지 번호를 참고하자.

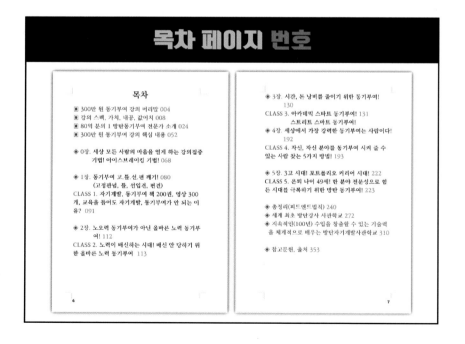

6   7

- 참고문헌, 출처 정리

이미지, 스토리텔링, 책에서 발췌한 스토리텔링, 기사 내용, 보도 자료, 영상 정리한 내용, 유튜브 영상을 정리한 내용 등이 있다면 출처를 정확하게 밝혀야 한다.

출처를 남기지 않아 법적 조치(저작권법)를 당할 수도 있다는 것을 명심하자.

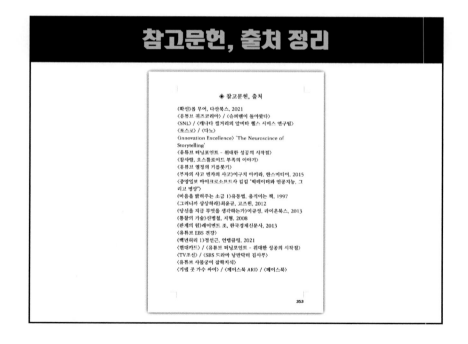

참고문헌, 출처 정리

◈ 참고문헌, 출처

《확신》롭 무어, 다산북스, 2021
《유튜브 퀴즈코리아》/ 《슈퍼맨이 돌아왔다》
《SNL》/ 〈캐나다 캘거리의 알버타 헬스 서비스 연구팀〉
《포스코》/ 〈다노〉
〈Innovation Excellence〉 'The Neuroscince of Storytelling'
《유튜브 터닝포인트 - 위대한 성공의 시작점》
《함사람, 오스트롤로이드 부족의 이야기》
《유튜브 열정의 기름붓기》
《부자의 사고 빈자의 사고》이구치 아키라, 한스미디어, 2015
《중앙일보 마이크로소프트사 킵김 "빅데이터와 인공지능, 그리고 명상"》
《마음을 밝혀주는 소금 1》유동법, 움직이는 책, 1997
《그러니까 상상하라》최윤규, 고즈윈, 2012
《당신을 지금 무엇을 생각하는가》이규성, 라이온북스, 2013
《동물의 기술》신병철, 지형, 2008
《관계의 힘》레이먼드 조, 한국경제신문사, 2013
《유튜브 EBS 컬컬》
《백년허리 1》정선근, 언앤글림, 2021
《랜덤카드》/ 《유튜브 터닝포인트 - 위대한 성공의 시작점》
《TV조선》/ 〈SBS 드라마 낭만닥터 김사부〉
《유튜브 사물궁이 잡학지식》
〈거댐 곳 가수 싸이〉/ 〈페이스북 ARI〉/ 〈페이스북〉

353

– 원고 마지막 장 판권지 입력

출판의 중요한 정보가 있는 마지막 페이지다.
bookk출판사 양식을 참고하고 이미지는 출간 승인 완료
된 《300만원 동기부여 강의》책 판권지다.

어린 왕자(제목을 적어주세요)

발   행 | 2024년 00월 00일
저   자 | 생텍쥐 페리(저자명, 필명을 적어주세요)
펴낸이 | 한건희
펴낸곳 | 주식회사 부크크
출판사등록 | 2014.07.15.(제2014-16호)
주   소 | 서울특별시 금천구 가산디지털1로 119 SK트윈
타워 A동 305호
전   화 | 1670-8316
이메일 | info@bookk.co.kr

ISBN |

www.bookk.co.kr

판권지
(종이책 출간을 위한 최종 점검)

300만원 동기부여 강의
(동기부여 일타강사! 동기부여 사용 설명서!)

발 행 | 2023년 11월 11일
저 자 | 최보규
편 집 | 서윤희
디자인 | 최보규
마케팅 | 최보규
펴낸이 | 한건희
펴낸곳 | 주식회사 부크크
출판사등록 | 2014.07.15.(제2014-16호)
주 소 | 서울특별시 금천구 가산디지털1로 119 SK트윈타워 A동
305호
전 화 | 1670-8316
이메일 | info@bookk.co.kr

ISBN |

www.bookk.co.kr

354

당신에게 유페이퍼출판사는
천재일우

4.
한글 원고(HWP)로
전자책(PDF)만들기 매뉴얼

#. 당신은 어떤 것을 선택할 것인가?

1. 종이책만 출간한다. (1가지 수입만 발생)

2. 전자책(PDF)만 출간한다. (1가지 수입만 발생)

3. 종이책, 전자책(PDF)을 동시에 출간한다. (2가지 수입과 방탄book기술력과 연결을 하면 6가지 수입까지 발생시킬 수 있다.)

그 누구에게 물어봐도 3번을 선택할 것이다. 종이책만 출간할 때보다 전자책을 같이 출간을 하면 여러 가지 수입과 연결을 시킬 수 있다. 한글(HWP)원고를 전자책(PDF)으로 변환하는 매뉴얼 설명을 시작한다.

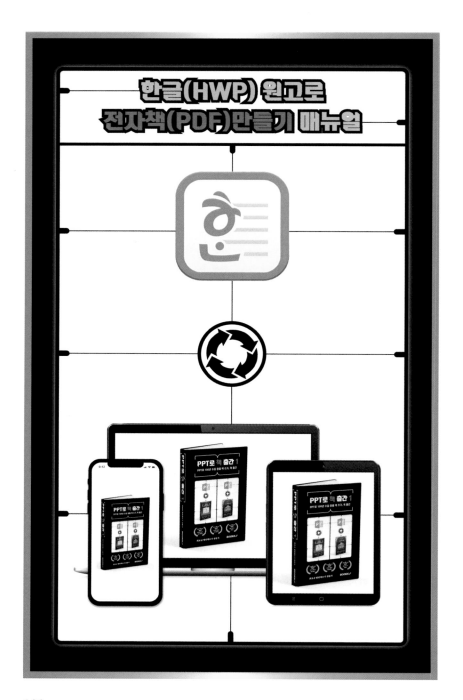

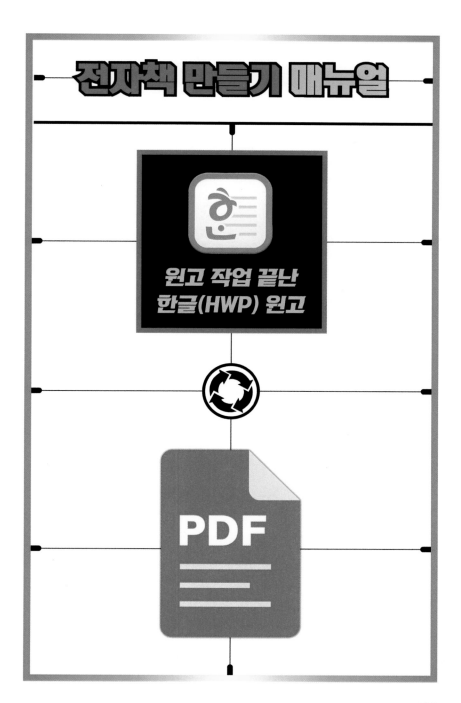

전자책 만들기 매뉴얼

원고 작업 끝난
한글(HWP) 원고

PDF

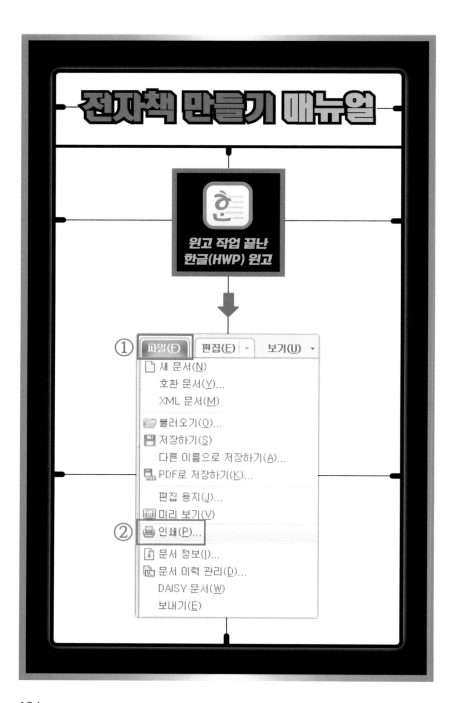

① 한글(HWP)프로그램 파일. 한글(HWP)원고 작업한 한글 파일 원고에서 파일을 클릭.

② 인쇄. 바로 PDF로 저장하는 것이 아니다. 그 이유는 원고 작업이 끝난 뒤 탈고, 퇴고를 하기 위해서 모아찍기(2쪽씩)로 원고 전체 인쇄를 하여 오타 체크를 했기에 모아찍기(2쪽씩)가 아닌 기본 인쇄로 바꿔줘야만 PDF로 저장 했을 때 한 장에 2페이지가 아닌 한 장에 1페이지씩 나온다.

전자책(PDF)등록 할 때 한 장에 2페이지씩 나오면 승인되지 않는다. 전자책(PDF)은 한 장에 1페이씩 나와야 한다.

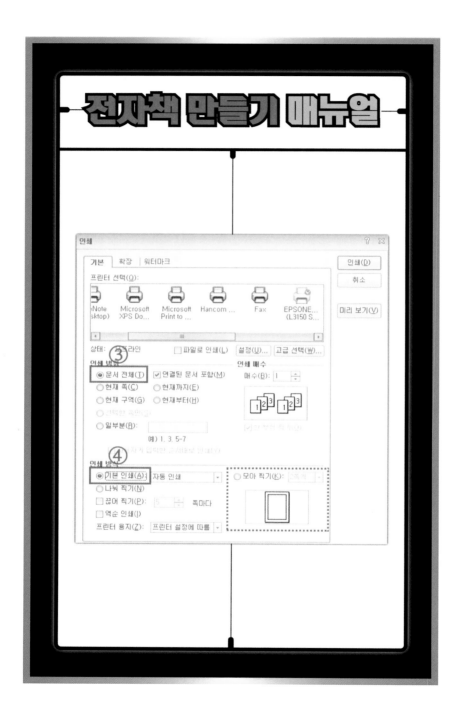

③ 문서 전체.

④ 기본 인쇄. 모아 찍기(2쪽씩)로 체크 되어 있으면 기본 인쇄로 체크한다.

PDF로 저장을 하기 전에 인쇄에 들어가서 모아 찍기가 아닌 기본 인쇄로 해야만 출판사에 전자책 등록이 된다. 처음부터 사소한 것을 잘 지켜야만 시행착오를 줄일 수 있다.

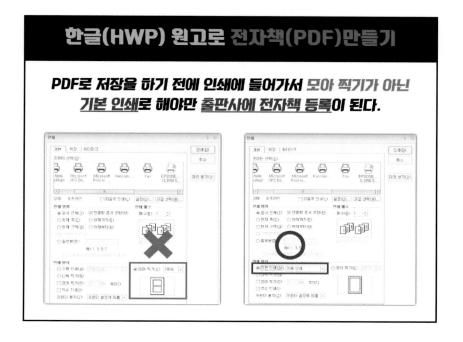

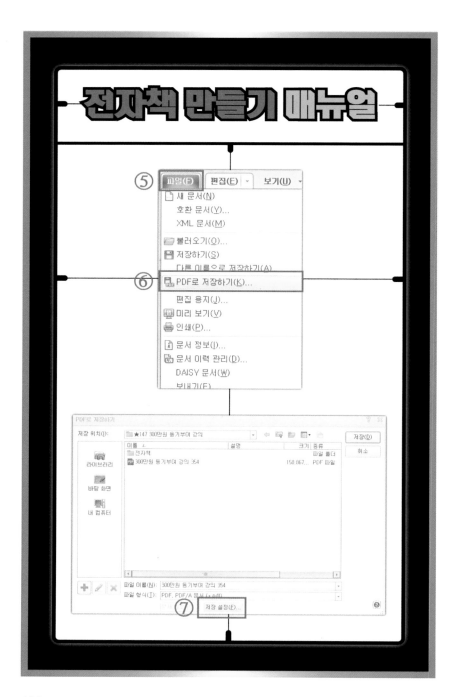

⑤ 파일.

⑥ PDF로 저장하기.

⑦ 저장 설정.

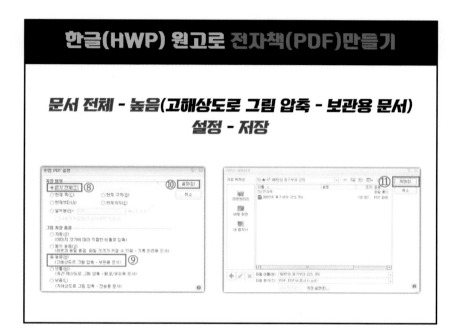

⑧ 문서 전체.

⑨ 높음(고해상도로 그림 압축 - 보관용 문서).

높음으로 저장하면 전자책(PDF)파일 용량이 늘어난다.

전자책(PDF)은 PC, 노트북, 스마트폰으로 보기 때문에

선명도가 낮으면 안 된다.

⑩ 설정.

⑪ 저장.

① ~ ⑪까지 진행하면 전자책을 취급하는 출판사에 등록할 수 있는 전자책(PDF) 원고를 완성한 것이다. 한번 만들어 놓은 전자책(PDF) 원고를 활용해서 21세기 황금알을 낳는 거위라는 무인 자동 시스템을 만들 수 있다.

전자책(PDF)으로
1. 커피숍에서 지인과 대화 중에도 돈이 입금되는 시스템?
2. 자고 있는데 돈을 버는 시스템?
3. 여행 중에도 돈이 입금되는 시스템?
4. 사무실, 직원이 필요 없는 시스템?
5. 건물주처럼 월세가 입금되는 시스템?
6. 집에서 댕댕이와 휴식하고 있는데 돈이 입금되는 시스템?

월세, 연금성 수입을 발생시키는 전자책은 선택이 아닌 필수다.

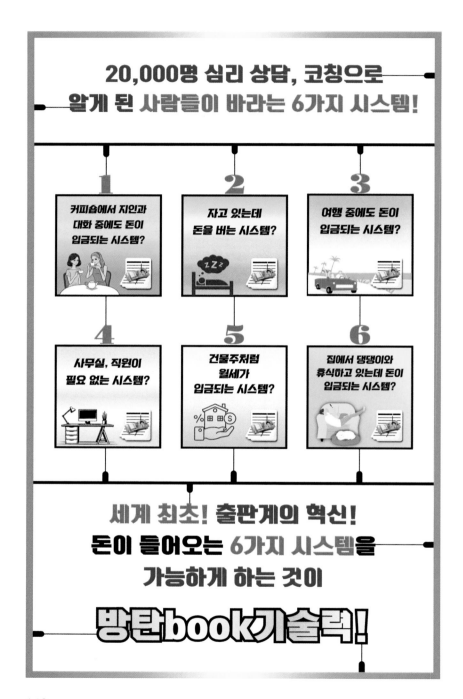

142

평균 희망 은퇴 73세, 현실 은퇴 나이 49세!
100세 시대 언제까지 몸(노동)으로만
일해서 돈을 벌 것인가?

세상, 현실 기준에서 스펙, 돈, 인맥, 자산 등이 없어서 100세까지 노동을 해야 되고 몸까지 아프면 더 답이 없는 상황! 젊을 때는 100가지 중 99가지를 할 수 있지만 나이 들면 100가지 중 99가지를 할 수 없다. 3고 시대, AI 시대, 챗 GPT 시대에 자신의 직업이 사라 질 수 있는 상황 에서 어떻게 준비, 대비할 것인가?

 방탄BOOK기술력
선택이 아닌 필수!

세계 최초
방탄
BOOK
기술력

최보규

전체　프로필　최근활동　도서

프로필　→

소속	방탄자기계발사관학교/방탄북(BOOK)출판사(대표)
수상	2016년 제1회 세계를 빛낸 천사상 대상
경력	방탄자기계발사관학교/방탄북(BOOK)출판사 대표 방탄자기계발사관학교 대표 2012.05~2016.06 사랑의전화 전화상담 자원봉사자 2014.11 행복사관학교 대표
사이트	유튜브, 블로그, 네이버TV, 페이스북, 공식홈페이지
작품	★ 도서 108건, 관련활동

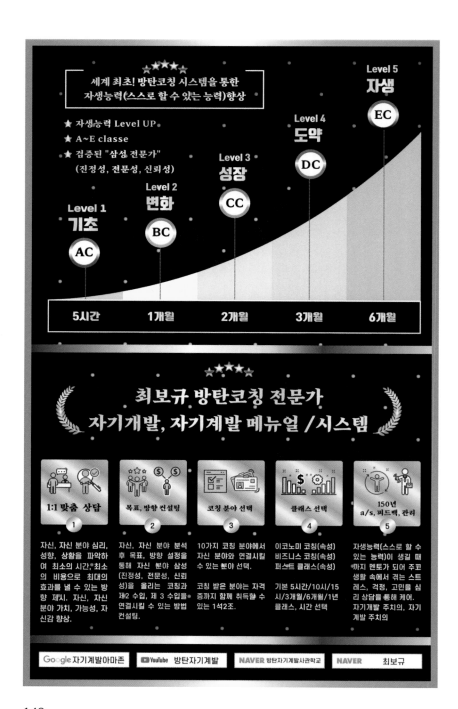

세계 최초! 방탄코칭 시스템을 통한
자생능력(스스로 할 수 있는 능력)향상

★ 자생능력 Level UP
★ A~E classe
★ 검증된 "삼성 전문가"
　　(진정성, 전문성, 신뢰성)

Level 5
자생
EC

Level 4
도약
DC

Level 3
성장
CC

Level 2
변화
BC

Level 1
기초
AC

| 5시간 | 1개월 | 2개월 | 3개월 | 6개월 |

최보규 방탄코칭 전문가
자기개발, 자기계발 메뉴얼 /시스템

1:1 맞춤 상담
1

목표, 방향 컨설팅
2

코칭 분야 선택
3

클래스 선택
4

150년 a/s, 피드백, 관리
5

자신, 자신 분야 심리, 성향, 상황을 파악하여 최소의 시간, 최소의 비용으로 최대의 효과를 낼 수 있는 방향 제시. 자신, 자신 분야 가치, 가능성, 자신감 향상.

자신, 자신 분야 분석 후 목표, 방향 설정을 통해 자신 분야 삼성 (진정성, 전문성, 신뢰성)을 올리는 코칭과 제2 수입, 제 3 수입을 연결시킬 수 있는 방법 컨설팅.

10가지 코칭 분야에서 자신 분야와 연결시킬 수 있는 분야 선택.

코칭 받은 분야는 자격증까지 함께 취득할 수 있는 1석2조.

이코노미 코칭(속성)
비즈니스 코칭(속성)
퍼스트 클래스(속성)

기본 5시간/10시/15시/3개월/6개월/1년 클래스, 시간 선택

자생능력(스스로 할 수 있는 능력)이 생길 때까지 멘토가 되어 주고 생활 속에서 겪는 스트레스, 걱정, 고민을 심리 상담을 통해 케어. 자기개발 주치의, 자기계발 주치의

Google 자기계발아마존　　YouTube 방탄자기계발　　NAVER 방탄자기계발사관학교　　NAVER　　최보규

148

★ ★ ★ ★ ★

검증된 전문가 교육시스템

회원제를 통한 맞춤 학습, 연습, 훈련
오프라인 전문상담사가 검진 후 특별맞춤 학습, 연습, 훈련

BEST Seller

검증된 강사코칭 전문가

세계 최초 강사 백과사전
강사 사용설명서를 만든 전문가!
150년 A/S, 관리, 해주는 책임감!

검증된 책 쓰기 전문가 100권

행복히어로
나다운 강사 1, 2
나다운 방탄멘탈
나다운 방탄습관블록
나다운 방탄 카피 사전
나다운 방탄자존감 명언 I , II
방탄자기계발 사관학교
자기계발코칭전문가 1,2,3,4,5,6
나다운 방탄리더십 1,2,3,4,5
외 100권

검증된 자기계발 전문가

방탄행복 창시자!
방탄멘탈 창시자!
방탄습관 창시자!
방탄자존감 창시자!
방탄자기계발 창시자!
방탄강사 창시자!
방탄리더십 창시자!

검증된 상담 전문가

20,000명 심리 상담, 코칭!
독학하기 힘든 자자자자멘슐금
(자존감, 자신감, 자기관리, 자기계
발, 멘탈, 습관, 긍정)
1:1 케어까지 해주며 행복 주치의가
되어주는 전문가!

★ ★ ★ ★ ★

강력추천

<u>이런 사람들 반드시 상담, 코칭 받으세요!</u>

현재 상황에 가장 필요한 것을 상담 후 가장 효율적인 시스템을 적용합니다.

**변화, 성장, 배움, 행동
동기부여, 셀프케어**

1

지금처럼이 아니라 지금부
터 다시 시작하고 때를 기
다리는 사람이 아닌 때를
만들고 싶은 분

자신분야 전문성

(진정성, 전문성, 신뢰성)

2

경력은 스펙이 아니다! 자
신 분야 차별화로 부케릭
터를(부업)만들어 자신 몸
값을 올리고 싶은 분

**자신분야 자동
시스템(돈) 연결**

3

움직이지 않아도 자동으로
돌아가는 돈 버는 시스템
을 만들고 싶은 분

Best 12

검증된 리더 강의 분야

<저자 최보규>　　　<저자 최보규>

1 방탄 리더 동기부여

사람을 움직이는 가장 강력한 동기부여는 "우리 리더는 내가 좋은 사람이 되고 싶도록 만들어"라는 마음을 들게 하여 행동하게 만드는 리더다!

2 나다운 방탄리더십

1명의 방탄리더가 10만 명을 변화시키고 먹여 살린다. 리더는 사라져도 방탄리더십은 1,000년 간다! 리더의 삼성(진정성, 전문성, 신뢰성)을 업그레이드!

Best 12

검증된 리더 강의 분야

<저자 최보규>

<저자 최보규>

3 방탄 리더 의무교육

4 방탄 리더 기본기

직원은 5대 법정의무교육이 필수! 리더는 7대 의무교육이 필수! 5대 법정의무교육을 받지 않으면 벌금이지만 리더가 7대 의무교육을 받지 않으면 회사가 망한다!

기본기를 지킨다고 리더가 되는 건 아니다. 단언컨대 사람들에게 존경받고 위대한 업적을 만드는 리더들은 기본기를 철저하게 지킨다.

Best 12

검증된 리더 강의 분야

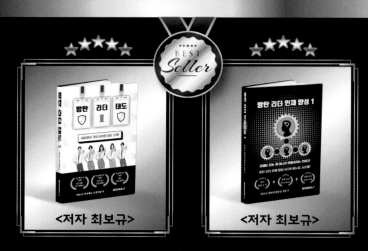

<저자 최보규>   <저자 최보규>

5 방탄 리더 태도

세상에서 가장 강력한 태도 스펙! 어떻게 학습, 연습, 훈련할 것인가?
Body(몸)태도, Head(머리)태도, Mind(마음)태도 320가지 학습, 연습, 훈련하는 방법 최초 공개!

6 방탄 리더 인재 양성

리더의 기본 스펙은 인재 양성이다. 인재는 오는 게 아니라 시스템으로 만들어지는 것이다. 리더가 인재 양성 매뉴얼, 시스템 구축은 선택이 아닌 필수다.

Best 12

검증된 리더 강의 분야

<저자 최보규>

<저자 최보규>

7 방탄 리더 사명감

8 방탄 리더 식스펙

사명감은 스펙이다! 학습, 연습, 훈련으로 만들어 진다! 세상에 사명감 없는 사람은 없다! 다만 사명감 만드는 방법을 모를 뿐이다!

숨만 쉬어도 근손실이 되듯 숨만 쉬어도 리손실(리더십손실)이 되기에 앞서가는 리더는 리더십 PT 받는다! 식스펙은 한달 지속 되지만 리더십 식스펙은 100년 지속된다.

Best 12

검증된 리더 강의 분야

<저자 최보규> <저자 최보규>

9 방탄 리더 감정컨트롤

세상에서 가장 무능한 리더는 감정에 따라 말투, 표정, 행동이 달라지는 사람이다.
방탄 리더 감정컨트롤, 스트레스 관리 7단계!

10 방탄 리더 스피치

입은 출력장치 말이 저장 되어 있는 Body(몸), Head(머리), Mind(마음) 스피치에 답이 있다. Body(몸) 스피치, Head(머리) 스피치, Mind(마음) 스피치 학습, 연습, 훈련!

Best 12

검증된 리더 강의 분야

<저자 최보규>

<저자 최보규>

11 방탄 리더 책쓰기

12 방탄 리더 인간관계

리더 자신 분야 삼성(진정성, 전문성, 신뢰성)을 올리는 최고의 자기계발은 책쓰기, 책 출간이다! 리더 은퇴 준비, 노후 준비까지 가능한 방탄 리더 책 쓰기!

좋은 리더가 되어 좋은 사람을 오게 하는 인간관계 CLASS 7. 100년 함께 하고 싶은 리더가 되기 위한 인간관계 CLASS 7.
삼성(진정성, 전문성, 신뢰성) 인간관계 CLASS 7.

80%는 **교육으로 만들어진다?** 300% 틀렸습니다!

세계 최초! 방탄동기부여 효율적인 교육 시스템!

1단계

교육
= 20%

2단계

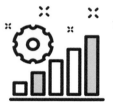

스스로
학습, 연습, 훈련
= 30%

3단계

feedback

검증된 전문가
a/s,관리,피드백
= 50%

150년
a/s,관리,피드백

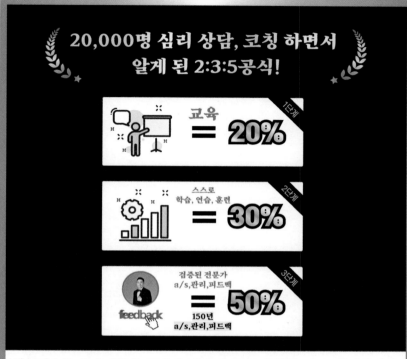

평균적으로 학습자들은 교육만 받으면 80% 효과를 보고 동기부여가 되어 행동으로 나올 것이라고 착각합니다.

그러다 보니 교육받는 동안 생각만큼, 돈을 지불한 만큼 자신 기준의 미치지 못하면 효과를 보지 못할 거라고 지레짐작으로 스스로가 한계를 만들어 버립니다. 그래서 행동으로 옮기지 못하는 것이 상황, 교육자가 아닌 자기 자신이라는 것을 모릅니다.

20,000명 심리 상담, 코칭, 리더 자기계발서 100권 출간, 리더 습관 320 가지 만듦, 시행착오, 대가 지불, 인고의 시간을 통해 가장 효율적이며 효과적인 교육 시스템은 2:3:5라는 것을 알게 되었습니다.

교육 듣는 것은 20%밖에 되지 않습니다. 교육을 듣고 스스로가 생활 속에서 배웠던 것을 토대로 30% 학습, 연습, 훈련해야 합니다.
학습, 연습, 훈련한 것을 가장 중요한 50%인 검증된 전문가에게 꾸준히 a/s, 관리, 피드백을 받아야만 2:3:5공식 효과를 볼 수 있습니다.

Best 12

베스트셀러 일반 강의 분야

<저자 최보규>

<저자 최보규>

1 방탄 동기부여

세상에 동기부여 못하는 사람은 없다. 다만 동기부여 잘하는 방법을 모를 뿐이다. 모든 분야에 접목이 가능한 방탄 동기부여! 6가지 수입까지 창출할 수 있는 방탄 동기부여!

2 방탄 자기계발

노오력 자기계발이 아닌 올바른 노력 방탄 자기계발을 통해 제2수입, 제3수입까지 올려 온라인 건물주가 될 수 있는 방법을 학습, 연습, 훈련한다.

\<저자 최보규\>

\<저자 최보규\>

3 방탄 멘탈

4 방탄 습관

뭘 해도 욕먹는 시대! 대중매체, SNS, 주위 사람들... 자신 멘탈 배터리를 소모시키는 현실 속에서 자신 멘탈을 보호하기 위한 방탄멘탈 7단계 업데이트!

습관, 성격, 스피치는 바꾸는 것이 아니라 쌓아 가는 것이다. 레고 블록처럼! 몸 습관 블록, 머리 습관 블록, 마음 습관 블록! 습관에 답이 있고 습관에 인생이 있다.

Best 12

베스트셀러 일반 강의 분야

<저자 최보규>

<저자 최보규>

5 방탄 인간관계

인생에서 90%의 스트레스는 인간관계에서 온다. 인간관계 속 스트레스로부터 정신, 몸을 보호하는 방탄 인간관계. 4차 산업 시대에 맞는 4차 인간관계는 방탄 인간관계로 업데이트!

6 방탄 소통

소통에 답이 있는가? 정답은 답이 아니다. 해결책도 답이 아니다. 공감만이 답이다.
방탄 소통, 방탄 공감을 하기 위한 학습, 연습, 훈련!

Best 12

베스트셀러 일반 강의 분야

<저자 최보규>

<저자 최보규>

7 방탄 행복

8 방탄 자존감

대한민국 행복 꼴찌! 대한민국 행복이 위험하다. 자신 행복이 위험하다. 당신이 행복하지 않은 이유는 단언컨대 행복을 학습, 연습, 훈련 하지 않아서다!

사랑, 연예, 인간관계, 성공, 꿈, 이루고 싶은 것, 목표, 사람이 하는 모든 것들의 결과물, 행동하는 모든 것은 행복하기 위해서이고 행복의 본질은 자존감이다.

Best 12

베스트셀러 일반 강의 분야

<저자 최보규>

<저자 최보규>

9 방탄 케어

10 방탄 스토리텔링

아픈 만큼 성숙해진다? 거 짓말에 속지 말자! 아픈 만 큼 성숙해지려면 극복을 해야 한다. 방탄 케어로 마 음 상처 극복 학습, 연습, 훈련!

20,000명 심리 상담, 코칭 하면서 엄선 한1,000개의 스토리텔링(스토리텔링 300가지, 이미지 스토리텔 링 700개)을 통해 자신, 자 신 분야 터닝포인트!

베스트셀러 일반 강의 분야

<저자 최보규>

<저자 최보규>

11 방탄 강사 1, 2

1~3년 차는 강의, 강사를 다듬을 수 있는 도구. 3~5년 차는 강의, 강사 자신의 전문 분야 방향을 잡을 수 있는 GPS가 될 것이다. 5~10년 차는 강의, 강사 일에 초심을 되새기고 사명감을 만들 수 있는 마지막 퍼즐 한 조각이 되어 줄 것이다. 10~130년 차는 강사의 꽃인 강사 양성 교육을 할 수 매뉴얼, 시스템이 되어 줄 것이다.

12 방탄 책쓰기

출판계의 혁신! 출판계의 스티브 잡스! 90% 작가들이 책 쓰기, 출간만 하고 끝난다. 하지만 방탄 BOOK은 자신 분야와 연결하여 6가지 수입을 창출하는 책 쓰기, 출간을 한다.

Best 6

검증된 방탄 PT 분야

방탄 강사 방탄 PT

5

<저자 최보규>

자격증 발급기관

앞도적 차이를 만드는 방탄 PT!
앞서가는 강사는 방탄 PT 받는다!

- ☑ 강사 7대 의무교육 PT
- ☑ 강사 인성, 매너 PT
- ☑ 강사 품위유지의무 PT
- ☑ 강사1~3년차 PT
- ☑ 강사 3~10년차 PT
- ☑ 강사 10~20년차 PT
- ☑ 강사료 UP PT
- ☑ 비수기 극복 PT

- ☑ 강사 스킬UP PT
- ☑ 강사 SPOT 기법 PT
- ☑ 강사 스토리텔링 기법 PT
- ☑ 강사, 작가 트레이닝 PT
- ☑ 강사 양성 매뉴얼 제작 PT
- ☑ 강의 분야 개발 PT
- ☑ 강사 코칭 시스템 제작 PT
- ☑ 강의 영상 제작 PT

Best 6

검증된 방탄 PT 분야

책 쓰기, 출간 방탄 PT

6

〈저자 최보규〉

자격증 발급기관

앞도적 차이를 만드는 방탄 PT!
앞서가는 리더는 방탄 PT 받는다!

- ☑ 작가 7대 의무교육 PT
- ☑ 책 쓰기 동기부여 PT
- ☑ 책 출간 동기부여 PT
- ☑ 책 쓰기 10G PT
- ☑ 리더 책 쓰기 PT
- ☑ 강사 책 쓰기 PT
- ☑ 일반인 책 쓰기 PT
- ☑ 6가지 수입 창출 PT

- ☑ 온라인 건물주 책 출간 PT
- ☑ 작가 품위유지의무 PT
- ☑ 강사 되기 위한 책 출간 PT
- ☑ 강의 교안으로 책 출간 PT
- ☑ 출간한 책으로 교안 작업 PT
- ☑ 출간한 책으로 영상제작 PT
- ☑ 100년 지속 할 수 있는 기술력을 배우는 책 쓰기, 출간

명품
자기발전

명품
동기부여

★★★★★ **차별이 아닌 초월 혜택** ★★★★★

 Google 자기계발아마존　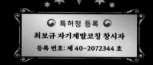 YouTube 방탄자기계발　NAVER 방탄동기부여　NAVER 최보규

이코노미 PT

기본 5H : 500,000원

- ☑ 150년 A/S (세계 최초)
- ☑ 마스터한 분야 자격증 1종 취득
- ☑ 방탄자기계발사관학교 강사 위촉
- ☑ 방탄자기계발사관학교 마스터 위촉
- ☑ 비지니스 PT 10% 할인
  (10만원 상당)
- ☑ 퍼스트클래스 PT 10% 할인
  (30만원 상당)
- ☑ 마스터한 분야 실전 2시간 강의
  교안 제공. (강사료 200만원 상당)

174

명품
자기계발

명품
동기부여

★★★★★ **차별이 아닌 초월 혜택** ★★★★★

Google 자기계발아마존   ▶YouTube 방탄자기계발   NAVER 방탄동기부여   NAVER 최보규

비지니스 PT

기본 10H : 1,000,000원

☑ 150년 A/S, 피드백

☑ 마스터한 분야 자격증 1종 취득

☑ 방탄자기계발사관학교 전임 강사 위촉

☑ 방탄자기계발사관학교 전임 마스터 위촉

☑ 퍼스트클래스 PT 10% 할인
   (30만원 상당)

☑ 강사 맞춤 트레이닝 비대면 1회 제공
   (50만원 상당)

☑ 마스터한 분야 실전 2시간 강의 교안
   제공, 1:1 맞춤 교안 설명
   (강사료 200만원 / 1:1 맞춤 100만원 상당)

★★★★★ 차별이 아닌 초월 시스템 ★★★★★

타사와 비교불가 초월 혜택!
자신 분야 온라인 건물주가 되어 100년 수입 창출!

Google 자기계발아마존 ▶YouTube 방탄자기계발 NAVER 강사야 NAVER 최보규

퍼스트클래스 *PT*

기본 15H : 3,000,000원~

CHECK POINT

☑ 기본 1회(15H) / (2회 ~ 5회 선택 사항)

☑ 6가지 수입 창출 **자동 시스템 구축**

☑ 150년 A/S, 피드백, VIP맞춤 관리

명품
자기계발

명품
동기부여

★★★★★ 차별이 아닌 초월 혜택 ★★★★★

 Google 자기계발아존  ▶YouTube 방탄자기계발 NAVER 방탄동기부여 NAVER 최보규

퍼스트클래스 PT

기본 15H : 3,000,000원~

- ☑ 150년 A/S, 피드백, VIP맞춤 관리
- ☑ 자격증 3종 취득 (150만원 상당)
- ☑ 방탄자기계발사관학교 지회장 위촉
- ☑ 종이책, 전자책 출간 후 네이버 인물 등록
- ☑ 20H, 30H, 40H, 50H PT 20% 할인
- ☑ 강사 맞춤 트레이닝 대면 1회 제공
  (50만원 상당)
- ☑ 프로필 유튜브 홍보 영상 제작
  (100만원 상당)
- ☑ 마스터한 분야 풀 패키지 (교안 제공,
  1:1 맞춤 교안 설명, 청강 1회 제공)
  (강사료 200만원 / 1:1 맞춤 100만원 /
  청강 1회 200만원 상당)

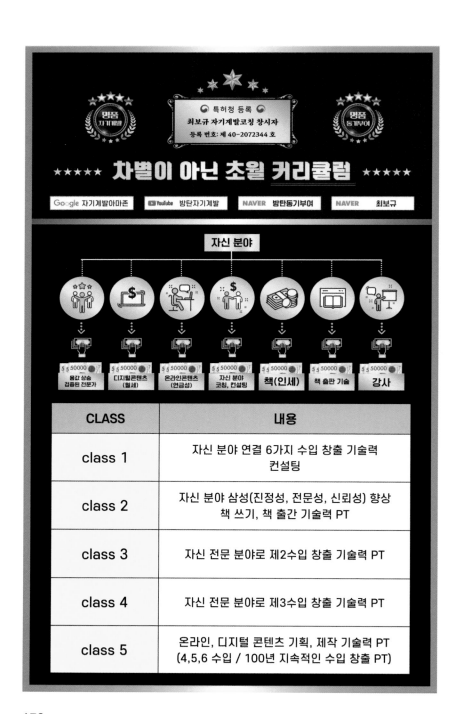

◆ 참고문헌, 출처

《PPT로 책 출간 1》 최보규, 부크크, 2024
<부크크(bookk)출판사>
《감정 경제학》 조원경, 페이지2북스, 2023
《300만원 동기부여 강의》 최보규, 부크크, 2023
《1조 리더십 강의》 최보규, 부크크, 2023
<교보문고>
<네이버 블로그 카루의 프리랜서 라이프>
<국어사전>

당신에게 유페이퍼출판사는 천재일우다! 1
(무료 전자책 출간)

발 행 | 2024년 03월 30일

저 자 | 최보규, 서윤희

편 집 | 최보규, 서윤희

디자인 | 최보규, 서윤희

마케팅 | 최보규

펴낸이 | 한건희

펴낸곳 | 주식회사 부크크

출판사등록 | 2014.07.15.(제2014-16호)

주 소 | 서울특별시 금천구 가산디지털1로 119 SK트윈타워 A동 305호

전 화 | 1670-8316

이메일 | info@bookk.co.kr

ISBN | 979-11-410-7798-3